S0-ASP-182

普 天 之 下 · 盡 是 好 書

普天出版家族
Popular Press

和《盜墓筆記》一樣精采好看，
比恐怖電影還要驚悚刺激

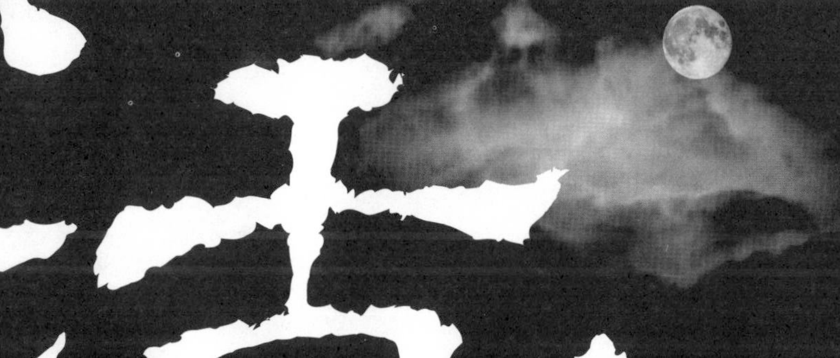

活祭之第五種人

Sacrificial Offering

湘西出土了轟動世界的寶物舍利子和玉玲瓏，
這兩樣寶物到底隱藏了什麼驚天秘密？
千年狐妖和神秘雪女又為何重現人間？
在一個神秘怪異的黑屋裡，任天行發現了三十四具乾屍文物，
誰知運往軍區後，乾屍在神秘簫聲召喚下，
竟然全部甦醒，成為瘋狂的殺人機器，一夜之間，軍區成了煉獄，三千多冤魂不散。
紅毛僵屍、五彩斑斕屍、五行人、吸血鬼、狐妖、雪女、巫蠱、降頭、術法、……
各種鬼怪都在湘西驚現，這裡儼然成為一個集聚恐怖、殺戮、未知的異度空間。
步步驚魂，層層殺機。伴隨著驚險刺激的場面，
九菊派組織的絕密陰謀——活祭計劃漸漸浮出水面……

通吃小墨墨【著】

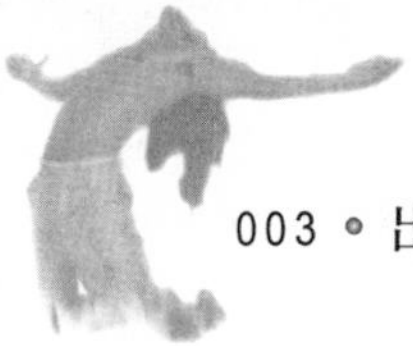

【出版序】

看過《盜墓筆記》，一定要看《活祭》

死屍客棧鬼影幢幢，鳳凰古城殺機層層，神秘的湘西上演一齣齣鬼哭神嚎、天人交戰的恐怖劇。看過《盜墓筆記》，一定不能錯過融合考古、探險、懸疑、靈異的《活祭》！

獵奇是人類的天性，只要能滿足人類這種好奇天性的產品，就一定能火紅。書籍也是如此，盜墓文學在華文世界颳起超強旋風，就是很好的例子。盜墓小說中的優秀作品《盜墓筆記》、《鬼吹燈》、《守陵人》……等書，不斷製造新奇的鬼怪、驚險的歷程、勁爆的情節，不僅獲得大批喜歡神秘、驚悚元素的讀者青睞，旋風還吹向電影、電視等平台。

就在盜墓小說如火如荼延燒之時，一位打著「考古驚悚小說家」旗號的網路作家「通吃小墨墨」卻公開撰文批判，奚落那些以盜墓爲題材的小說內容庸俗至極，沒有任何文學價值，就連故事劇情都是邊編邊寫的，「就像芙蓉姐姐不知廉恥的天天擺出一身肥肉，強姦眾人眼球，成為了眾人無所事事之時唾罵、發洩的對象。唾罵之後，漸漸的，就會風光不再」。

這篇文章火力四射，文字辛辣，極盡批鬥之能事，把一堆盜墓小說作家罵得比狗血淋頭還要慘，通吃小墨墨並且標榜自己是「盜墓小說的終結者」，將用驚悚鉅作《活祭》中的科學推理故事「截斷不入流的盜墓小說」。

通吃小墨墨不但揚言要「終結盜墓小說」，還大張旗鼓，公開向知名作家南派三叔嗆聲，調侃他寫的《盜墓筆記》是剛及格的小學生作文。接著，兩人不斷同台較勁，一時之間，《活祭》PK《盜墓筆記》的戲碼鬧得沸沸揚揚。

透過大罵南派三叔和《盜墓筆記》，果然使《活祭》迅速闖出名號，吸引大批讀者一觀究竟，銷售量迭創佳績，直逼《盜墓筆記》。

儘管有人認為這種花招太庸俗，通吃小墨墨和南派三叔兩人唱雙簧，簡直把影藝圈炒作八卦新聞那套移植到圖書產業，不過，也有人認為這種綜藝化的行銷手法相當高明，只要能捧紅真正具有才華的作家，又有什麼不可以？

通吃小墨墨是誰，竟然敢單槍匹馬拼鬥群雄，還不時把南派三叔當箭靶？

罵人是需要本錢的，不然只會讓人看笑話；想力戰群雄也需要高超的能耐，花拳繡腿是上不了檯面的。無疑的，通吃小墨墨具備了罵人與力戰群雄的本事，台灣讀者對他或許比較陌生，但在中國大陸，他可是實力派的超人氣網路作家，擅長寫考古驚悚小說。

通吃小墨墨，原名黃曉鋒，出生於美麗又神秘的廣西自治區柳州市，二〇〇六年開始在17K、新浪、搜狐等原創網站發表長篇小說《玲瓏血》、《第五種人》和《活祭》，一年之內文字發表量超過兩百萬字，形成了自己故事精彩、想像力奇譎和知識領域廣闊的寫作風格，受到網友瘋狂追捧。

通吃小墨墨雖然一再強調要截斷不入流的盜墓小說，但是《活祭》卻被定位爲「後盜墓時代開山之作」，新書發表會也很特別，特地選在北京首家「黑暗餐廳」舉行。由他和南派三叔展開一場針鋒相對的記者會，兩大寫作高手就盜墓文學的火爆、靈異事件的真僞，以及《活祭》中談到的「湘西趕屍」等情節進行全面解讀。此後，兩人經常連袂接受媒體採訪，彼此之間的PK大戰也越演越烈，從記者會一路打到網路世界，目前兩人正在部落格進行接文生死鬥，由此可見南派三叔對通吃小墨墨的評價與力捧程度。

《活祭》的場景設定在神秘的湘西，各式各樣的殭屍則是不可或缺的配角，連西洋的吸血鬼都趕來湊熱鬧；內容講述湘西出土轟動世界的寶物舍利子和玉玲瓏之後，各種恐怖、匪夷所思的事情接踵而來。

在一個神秘怪異的「死屍客棧」裡，「刀鋒戰警」任天行發現了三十四具古代乾屍，誰知運往軍區後，乾屍在神秘簫聲召喚下，竟然全部甦醒，成爲瘋狂的殺人機器，一夜之間，軍區成了人間煉獄，三千多條冤魂含恨不散。

腥風血雨之中，暗藏著龐大的陰謀與錯綜複雜的勾鬥。紅毛殭屍、五彩斑斕屍、五行人、吸血鬼、狐妖、雪女……各種鬼怪都在湘西驚現，這裡儼然成爲一個集聚恐怖、殺戮、未知的異度空間。

一幕幕靈異事件，一幕幕道家法術決戰東洋邪術，伴隨著驚險刺激的場面，日本九菊派組織的絕密陰謀——活祭計劃漸漸浮出水面。舍利子和玉玲瓏這兩樣寶物到底隱藏了什麼驚天秘密？千年狐妖和神秘雪女又爲何重現人間？「活祭」又是怎樣讓人毛骨悚然的恐怖計劃？

看過南派三叔的《盜墓筆記》，一定不能錯過融合考古、探險、懸疑、靈異的超人氣驚悚小說巨作《活祭》！

因爲，通吃小墨墨是南派三叔力捧的新銳作家，《活祭》則被讚譽爲新一輪盜墓小說代表作。因爲，《活祭》是唯一能和《盜墓筆記》媲美的精采小說，新浪網、搜狐網、中華網、起點中文、17K、中國經濟網、騰訊網、中安在線……等數十家知名網站爭相連載推薦，單單新浪網讀書頻道，點閱率就直逼三百萬人次。實體書出版後，佳評如潮，氣勢如虹，不論魅力或銷售數字，都直逼《盜墓筆記》。

死屍客棧鬼影幢幢，鳳凰古城殺機層層，神秘的湘西上演一齣齣鬼哭神嚎、天人交戰的恐怖劇。《活祭》的劇情曲折離奇，而且恐怖詭異，懸念不斷，高潮迭起，讓人體驗到毛骨悚然、頭皮發麻的感覺。整部小說中西合璧，故事精采絕倫，懸念迭出，比電影還要驚悚刺激。

南派三叔爲何如此力捧通吃小墨墨？通吃小墨墨又如何描述這些驚悚事件，如何從科學角度解釋考古過程中出現的靈異事件？

想知道答案，就趕緊翻開《活祭》一窺究竟吧！

目錄

目錄

目錄

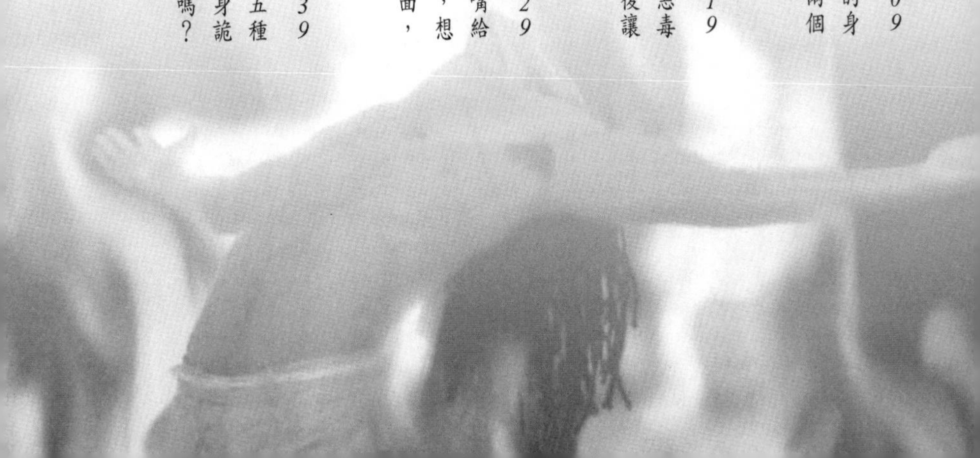

目錄

第 99 章

瘋狂的任天行

那個被火焰噴射器燒得像木炭一樣黑的白毛殭屍，居然沒有死，還把它只剩一層肌肉的爪子掐在了任天行的脖子上。任天行咧開了嘴，吼了一聲，咬在這殭屍的脖子上，用力一扯，嘴裡咬下了一大塊燒焦的皮肉。

任天行鼻子莫名地一動，不知道爲什麼，聞到了血腥味，自己的怒氣居然大漲，就連自己的血腥味，也讓他興奮不已。

他想起了死在倉庫一號手上的那幾十名士兵，一幕一幕的慘劇在腦海裡播放，又想起了剛剛的那個士兵，一股強烈的怒意從心底直衝向頭頂，呼的一下，他兩眼泛紅，雙拳緊握，「啪唧啪唧」的關節聲音就像爆竹一樣響起。

仇恨充斥了他全身，他感覺到自己身上的一股勁力往喉嚨裡直衝，那是一股怒火，他咧開嘴想把那股怒火噴出來，喉嚨被帶起一股低沉的聲音，不自覺地，任天行仰天長吼。

兩顆金燦燦的牙齒，在任天行的上牙床冒了出來，周身冒出一股寒氣。

殭屍再次死死地掐著他，看到他冒出那兩顆牙齒，這殭屍居然愣了一下，眼睛露出一股懼意。

任天行額頭朝那殭屍的臉上猛地一撞，把那殭屍撞得鬆開了手，兩人分開之後，任天行又撲了上來。

此時的他就像一頭猛獸一樣，比這殭屍還瘋狂，脖子上的筋脈漸漸凸了出來，一根一根的，十分清晰，眼裡閃出一股殺意。

他揮舞著拳頭，一拳一拳地打在這殭屍的身上，每一拳都帶起一股黑色的血跡，那殭屍的胸膛就像是泥巴一樣，印著這任天行的拳頭，裡面流出黏黏的液體。

衣服被任天行連打帶撕，扯成了碎條，那殭屍毫無還手之力，因爲它沒有任天行快，沒有任天行狠，就像一隻被罩在網裡的魚，任人用魚叉戳戮。

殭屍身上白色的毛轉眼間消失得無影無蹤。

「砰！砰！」一拳一拳地打在殭屍身上，任天行只覺得使出最後一拳的時候，用的力道一空，那拳頭微微一涼，仔細一看，這一拳竟然把胸骨給打碎了，拳頭從前胸打穿到背後。

刀槍不入的紫毛殭屍不畏懼火箭炮的攻擊，而這白毛殭屍更勝紫毛殭屍一籌，如今在任天行眼前，就像是豆腐一樣被任天行一拳一拳地打。

最後，任天行咧著他的牙齒，把那殭屍的頭給拆了下來，似乎仍不足以洩憤，抓著那顆頭顱用力地在地上拍打。

古晶幸好因爲虛脫暈了過去，要不然看到任天行這一幕跟混世魔王一樣的模樣，沒虛脫死，也會被活活嚇死。

白毛殭屍在任天行的狂虐下，漸漸地閉上了眼睛，破爛的身子和頭顱，隨著它閉上眼睛的一剎那，變成了一堆乾癟的骷髏。

嘰咕已經把那普通殭屍搞定了，飄浮在一邊，看著任天行的一舉一動，全身興奮，小小的眼睛冒出一股股的火花。

任天行沒有從憤怒中醒來，如今腦子裡就只有「報仇」兩個字。冷眼看了四周，他的眼睛留在了那個地洞裡。

一步一步地走近那個地洞，剛剛低頭，地洞裡衝出一股青色的煙霧，一個人影掐著他的脖子衝了出來。

那個被火焰噴射器燒得像木炭一樣黑的白毛殭屍，居然沒有死。不僅沒有死，還把它只剩一層肌肉的爪子掐在了任天行的脖子上。

爪子收縮，比刀還鋒利的指甲漸漸用力掐著脖子，但指甲掐在脖子的皮膚上，居然掐不下去。

任天行咧開了嘴，吼了一聲，張開了嘴，咬在這殭屍的脖子上，用力一扯，嘴裡咬下了一大塊燒焦的皮肉。皮肉一掉，殭屍的脖子就只剩一半，喉骨清晰可見。

這殭屍滿身窟窿，就連臉上也有幾個窟窿，這些都是糯米的賞賜，火焰把它身上的肉幾乎都燒光了，一層木炭般的骨頭肉還散發出一股焦味。

任天行順勢用他的兩隻手，按在這殭屍的頭顱上，用力一壓，這頭顱「噗哧」一下，被捏成了一團肉泥。

頭顱被捏碎，這殭屍瞬間只剩下了無頭骷髏。

任天行用目光掃視著四周，直到沒有發現能發洩的物件，漸漸地冷靜了下來。

等他回過神來的時候，不禁愣住了，自己怎麼了？剛剛發生的事情他完全記不起來了。跟嘰咕眼神相遇的時候，嘰咕好奇地看著他，隨後回到那把槍裡。任天行撿起槍之後，恍然大悟。

不敢相信，自己怎麼會變成這副模樣，要不是嘰咕跟他心靈相通，自己又怎會記得是這麼回事？

而在此時，類似這樣的事情越來越清晰，他還記得自己是怎麼去追那五行人，怎麼親手把那五行人給解決掉。

乾脆，他閉上了眼睛，靜靜地回憶之前所有的事情，有嘰咕的幫忙，只要嘰咕知道的，就跟他知道一樣。

他看到了一個女人，那個雪兒，把王婷婷身上的血塗在自己的嘴巴裡之後，自從那個時候起，自己就長了兩顆牙齒。

自己是什麼？也是殭屍嗎？

不會，如果自己是殭屍，怎麼能在陽光下安然無恙？一定不是。

看來，只有找長風才能解決。

深深地吸了一口氣，自己的遭遇如此離奇，他雖然奇怪，但是不至於被嚇著，良好的軍人素質此時完全地呈現了出來。冷靜的頭腦，沉著的應變能力，是讓他成爲佼佼者的最大籌碼。看著古晶臉色蒼白，他抱起了古晶，正在此時，他聽到了遠處一陣螺旋槳的聲音。

接走了古晶，王婷婷又好奇地看了看任天行臉上的那巴掌印。

「在看什麼？」任天行發覺了，急忙往自己臉上一抹。手掌上沾滿了一層黑色的細顆粒，任天行不好意思地嘿嘿笑了兩聲。

王婷婷心裡偷笑，要不是在這種時候，她還真以爲任天行臉上的那巴掌是被某個MM給賞的。

任天行隨意地抹了幾下，然後問：「王丫頭，妳的傷怎麼樣了？」

「小傷，不礙事！」王婷婷答了一句。

這還是小傷？要不是長風用千里一線牽，她小命早就沒了。

任天行當時在昏迷的時候，隱隱感覺到有個人在歎息，那一次，也只有這丫頭跟自己在一起，如果她能回憶點什麼起來，也許能解開自己心裡的疑問。

這幾天他照著古晶告訴他的方法，用自己的精血去餵養嘰咕，他倆的溝通越來越好。之前他瘋狂的那一幕，在自己清醒的時候，已經不記得了。嘰咕跟他接觸的一剎那，他可以感受到嘰咕的驚訝、好奇，還有迷惑。用自己的感覺去體會嘰咕的思想，在一瞬間，一幕一幕的事件就像重演一樣。

為何自己會變成這樣，自己是殭屍嗎？一定不是，如果是，自己根本不能在太陽下面走動，而且自己要吃要喝，甚至見到女人，眼光大都注視著人家膨脹的胸脯上，殭屍又怎麼會有這種感覺呢？

擺了擺手臂，手臂不硬，腿腳靈活，根本沒有僵硬的感覺，哈哈，一定不是。再說了，那兩顆牙齒，咱們的是金燦燦的，那些殭屍的牙齒是白森森的。對，絕對不是。想到這裡，他忽然想起剛剛自己瘋狂的那一幕，居然用嘴從白毛殭屍的脖子上扯下一大塊燒焦的肉。

一股噁心的感覺立即傳來，胃部翻滾，臉色一下變得蒼白。

「任天行，你怎麼了？」王婷婷見到他似乎自言自語，手舞足蹈地亂動，臉色瞬間變得蒼白，不禁擔心地問了一下。

「沒！沒事。」任天行臉部肌肉一抽，實在忍不住了，轉到一邊弓著腰就狂嘔。胃酸已經頂到喉嚨裡了，不吐不快。而且他想到自己咬下那殭屍的一塊肉之後，很有可能是心理原因，總感覺自己的牙齒縫裡有殭屍的肉絲，就連嗅覺也出現了問題，一時之間，鼻子裡充滿了那股被烈火燒焦的肉味。

吐了好一陣，終於舒服了。

兩人路過一個綠茵茵的草地，任天行乾脆就坐了下來。

他腦子裡如今充滿了疑惑，如果說自己不是殭屍，那這兩顆牙齒爲何在那個時候長出來，而現在沒有？

「丫頭，問妳個問題！」

「哦？」

「妳，有沒有覺得我有些不一樣？」

王婷婷奇怪地打量了一下任天行，不知道這話是什麼意思，左看右看，這不像是自己認識的任天行啊。在她的記憶裡，任天行是那種性格豪爽、果斷堅毅的人，什麼時候變得這麼婆婆媽媽？

任天行追問了一下：「有沒有？」

瞪著一雙大眼睛，王婷婷點了點頭：「一點點！」

任天行急不可待地問：「哪裡？哪裡不一樣？」

「頭髮短了，不過嘛，挺精神帥氣的，雖然沒有以前的長髮飄逸，不過我想，悅月姐姐一定……」

「我不是問這個！」任天行打斷了她的話。

「哦，那……還有就是……」王婷婷故意把話給拖得慢慢的，任天行瞪著大眼，在等著這丫頭的話。

「妳快說啊！」

「就是變得婆婆媽媽的了！唉，人啊，一旦進入情網，什麼都變味了。」王婷婷對著任天行搖了搖頭，直歎愛情害人不淺。

第100章

獵人

李寶國利用巧計，把雙子和櫻子關在一起，以自己的異能，掌握了足夠的消息，這萊恩和梅森家族，還有日本九菊派，都聽命於一個人，這個人外號叫「獵人」。「獵人」到底是誰？

「妳這丫頭！」任天行眼裡一陣失落，沉思了一下，要找出答案，還得從這丫頭身上問問。

「王丫頭，妳身上的傷怎麼樣了？」

「皮肉傷，不礙事！」王婷婷嗅出了一點兒不對勁的味道，這話是任天行第二次問了。

「不礙事就好，妳回憶一下，當時我倆去追雙子的時候，遇到那五行人，還有沒有其他的人在附近？」

「其他的人？」這話什麼意思。

任天行點了點頭，說：「我總懷疑，有人跟蹤我們，甚至救了我們。」

「什麼？救了我們？」王婷婷不敢相信，她只記得看到任天行那和五行人打得慘不忍睹的時候，自己爲了救他，不顧一切地衝了上去，背後被一個狠人一掌打中，最後向前一摔，就不省人事。等到自己醒了過來，已經是在醫院了，而且任天行還在手術室外面。

她忽然想起了一件很關鍵的事情，眼睛注視著任天行，問道：「我記得，我暈過去之前，你是受了重傷的，而且傷得比我還重，爲何等我醒來之後，你卻安然無恙？難道……」

任天行點了點頭，自言自語說：「我也不知道爲什麼，我醒來之後不但沒有受傷，反而更加有精神，而且，那五行人也已經不見蹤影。」

王婷婷失聲「啊」了一聲，合不上嘴。

「我只記得，模模糊糊中，有人居然用妳的血灌進我嘴裡，不久之後我就甦醒了。」

任天行是不是當時被打得迷糊了，怎麼會有人把我的血灌給他喝呢？難道我的血是仙丹，有起死回生之功效？看來，一定是任天行神志不清的時候產生了幻覺。

王婷婷乾咳了一下，急忙把話題給轉開。

她把之前跟長風見面的時候看到的那幾十具屍體和十二具東瀛忍者的屍體跟任天行細細地說了一遍。

任天行聽完之後，不禁大皺眉頭，問道：「丫頭，妳不是學過刑偵學嗎？那犯罪分析學妳一定也學過，妳對這個事有什麼看法？」

「哪裡哪裡，在任大隊長的面前，小女子怎麼敢班門弄斧呢？」

「哈哈，少見，少見，真沒想到王婷婷居然會俯首稱臣。」一個傲氣凜然，而且身手不凡的女子，敢徒手在國外踢了日本人的道館，滅了人家的威風，這樣有膽色的女子，如今居然會破例俯首稱臣，這不是天方夜譚嗎？

任天行這一激，倒是擊中了王婷婷的要害，王婷婷秀目一瞪，白了任天行一眼，然後說道：「本小姐只是想給你這個專家留點面子，不搶你飯碗而已，你當本小姐是吃素的，好吧，我就分析給你聽聽，你可別哭。」

「好，洗耳恭聽！」

王丫頭冷哼了一聲，然後說道：「現場屍體一共有五十二具，根據長風所說，沿途還有三具屍體，也就是說，前後一共有五十五具，死者有三類人，倉庫一號，跟倉庫一號一起的那些人，還有就是東瀛忍者。這些人的死法並不一樣，第一種死法，倉庫一號的屍體，脖子以上的頭皮皮膚保全完好，表面有一層冰，而衣領以下的，全部腐爛，呈黑褐色，部分豬肝色的物體是血液，長久暴露於空氣中而凝結，腐爛的程度，按照正常的推測，應該有兩個月的時間，而且是浸泡在水中才會有的效果。」這丫頭學的刑偵學倒是很紮實，連這點都說得出來，不過更讓任天行大跌眼鏡的還在後面。

「這些屍體最近才出現，很有可能就是剛剛發生不久，因爲這些作爲試驗品的

『倉庫一號』是『活祭』計劃裡面的成果，我們去圍剿的時候，他們已經把這些實驗品帶走了。」

「第二種死法，是六個正常人和東瀛忍者，這十八個人致命的地方，分別是脖子、頭顱、胸部，傷口看起來是被利器所傷。你有沒有看過《射雕英雄傳》裡的九陰白骨爪？」

「頭顱、脖子，三到五個不等的黑洞，而胸部心臟部位血肉模糊。如果是人為的，有什麼武器能這麼狠毒？紅川、黑府的忍者，實力不是一般的強，他們都是經過嚴格訓練的，一共十二個人，就算他們打不過，還能逃。根據何博士和長風所說，他們是死於殭屍之手。」

「這麼說，兇手很有可能就是那些殭屍？」

「對！」王婷婷肯定地說後，又補充道，「完全可以推斷，這是殭屍所為，但是，那些『倉庫一號』，是怎麼死的，難道也是殭屍所為？」

作為實驗品的「倉庫一號」，死法離奇，從未見過有這樣死的，讓人十分詫異。任天行沉默了一下，讓他不解的是，「倉庫一號」是怎麼死的？殭屍把這些人給殺了，是巧合還是有目的的？

「任天行，你說他們遇到殭屍，是不是巧合？」

任天行苦笑了一下：「妳這話問得好，這正是我疑惑的地方。如果是巧合，那是最好不過，如果不是，那麻煩就大了。」

這些殭屍是有意識的，但是這些意識並不足以能跟人比，如果不是巧合，那這些殭屍又怎麼知道他們會路過那個地方？

似乎少了點什麼東西沒有涉及？

兩人隱隱感覺到這一點，仔細一想，異口同聲道：「還有活口！」

這可是事情的關鍵，三輛運鈔車，兩輛警車，還有一輛公交車，這六輛車最少需要六個司機，而現場，除了倉庫一號，那六具屍體，從穿著和死法來看，都是普通人，可以確認他們就是這幾輛車的司機。

這群人想趁著這個時候離開他們的基地，甚至是離開湘西，今晚是最好的時機。除了那些忍者，還有倉庫一號，應該還有其他人。這些其他人，九成就是負責人。但是現場，除了這些屍體之外，就沒有其他的了，這說明，這些負責人沒有死。

任天行一拍手，原來是這樣，根據他得到的消息，參與「活祭計劃」的這些人，除了日本人，還有西方國家的人，特別是萊恩家族和梅森家族的人。

根據悅月提供的情報，萊恩家族和梅森家族都是很神秘的家族，這些人裡面，有的是吸血殭屍。

「丫頭，妳還記得前幾天我們遇到的那五行人嗎？」

王婷婷點了點頭，說：「那五個看起來跟人一樣，其實是殭屍的人？」

「沒錯，那五行人就是吸血殭屍，悅月就是爲了這個來湘西的，這五個人，我很肯定，它們不是萊恩家族帶來的，就是梅森家族的人。」

「萊恩家族？吸血殭屍？」王婷婷合不上嘴，她曾經看過電影《夜訪吸血鬼》，也看過相關的書籍，裡面都記載了吸血殭屍的事蹟，萊恩家族的人都是吸血殭屍，這居然是事實！

「嗯，我們要儘快找到這些人，但是千萬不能打草驚蛇。因爲，我們要揪出那條蛇王。」

李寶國利用巧計，把雙子和櫻子關在一起，以自己的異能，掌握了足夠的消息，這萊恩和梅森家族，還有日本九菊派，都聽命於一個人，這個人外號叫「獵人」。

「獵人」到底是誰？

過了不久，看到了遠處的一輛車的車燈。

「任天行！」一陣嬌聲遠遠傳來，車子徐徐地開到他們身邊。

「上車，咦，婷婷也在。」

「悅月姐！」王婷婷甜甜地叫了一聲，眾人都上了車，悅月把對講機遞給了任天行。

「你沒事就好，這兩個小時都聯繫不上，我就知道你出了意外，幸好剛剛江團長那邊有消息，派我們過來接應。」藉著車燈，悅月看到任天行那花貓一樣的臉，「噗哧」一下笑了出來，嘴角深深的酒窩特別迷人。

悅月給任天行遞了一瓶水和一包紙巾。

「謝謝！」任天行見到有水，迫不及待地接了過來，一點都不喝，就光漱口。一瓶全部都被用來漱口了，之後擦了擦嘴角，問道，「還有沒有？」

「這裡還有兩瓶！」悅月遞了給他，然後疑惑地望著任天行，他怎麼了？

王婷婷也不知道出了什麼事，在悅月耳邊把任天行之前嘔吐的事說了一下。兩瓶水，全部都是用來漱口，任天行甚至把手指當作牙刷，在自己的牙齒上磨來磨去，用紙巾反覆地擦，他可不希望自己的某個牙縫塞著殭屍那塊腐爛的肉塊或者肉絲。

「任天行，你沒事吧？」悅月喊了他一聲。

任天行搖了搖頭：「沒事！」

「沒事？」兩女提高了聲音質問，這任天行這麼怪異，怎麼也要問清楚，非打破砂鍋問到底不可。

「真的沒事！」

「真的？」

「真的！」

「那你怎麼老漱口？有什麼不對勁？」

「我口渴了，漱口而已！」

「口渴是喝水！」悅月不相信任天行的解釋。

「我……我口乾舌燥，漱漱口而已，妳們幹嘛這麼大驚小怪的？」

不對，絕對不對勁，王婷婷瞪著大眼睛，本來她是不好意思問的，但是現在不同啦，有悅月在，不問白不問。

「別找藉口，之前我看到你吐了，一定有什麼隱瞞著我們，快說。」

「……」

看著這兩個女煞星的神色，自己要是不說，非被她們吃了不可，無奈道：「妳們還是不知道的好！」

「快說！」兩聲嬌喝。

「當真要說嗎？可不可以不說？」

悅月和王婷婷直截了當地說：「不可以！」

任天行遲疑了一下，小心翼翼地問：「我說了，妳們會後悔聽的！」

開車的那士兵雖然好奇，但是卻不敢問，好奇地豎起耳朵，也想聽聽到底是什麼事情。

「說！」

「再給我一瓶水，我保準說！」任天行耍起了無賴，他明明知道悅月沒有水了。

悅月和王婷婷相互看了一眼。

「這是交換條件，一瓶水！」任天行以為這樣就能封住眾人的口，沒想到開車的那士兵二話不說，遞過來一瓶。

這下讓任天行啞口無言。

「水給你，快說！」

「我只是……只是……」

「只是什麼？」眾人很奇怪，有什麼事讓任天行這麼難以啟齒？

任天行乾脆拼了，既然她們想知道，就讓她們如願。

「我只是不想在我的牙齒縫裡留下任何殭屍的肉絲和血塊！」用盡自己所有的勇氣，任天行終於說了出來。可是，他想起了自己用牙齒把那殭屍脖子上的一塊肉給扯了下來的情形，不禁胃部大翻，臉色一變，探個頭出去狂嘔了起來。

皎潔的月光下，一輛吉普車上嘔吐聲連續不斷，吉普車突然一個晃動，急忙煞車了，一名士兵從司機位那裡跳了出來，跑到一邊弓著腰嘔吐。

「任天行，你去死！……吼！」嬌罵聲遠遠傳來，還沒罵完，緊接兩個嬌影從車子上跳了出來，躲到一邊嘔吐，臉色蒼白無力。

過了半晌，那幾個人重新上了車，車子剛剛開動，就聽到一個男的慘叫。

「我都說不能說，妳們硬是要聽……」

「喂，打哪都行，別打我的臉！」

「噁心，你怎麼不去死！」

打聲，鬧聲，埋怨聲，漸漸消失在夜幕中。

第101章

泗水村的秘密(上)

那些大樹上掛著長短不一的白色布條，有個長髮的女人脖子正掛在那布條上不停地搖擺，把那些樹枝搖得嘩嘩作響。她徐徐地轉過頭來，長長的頭髮遮住了她的臉……

凌晨，氣溫漸漸變涼，秋高氣爽的晚上，月亮皎潔如明鏡。這種天氣，本是大口喝酒、大口吃肉的好時機，就算不喜好吃喝，約幾個朋友一起開車夜遊，也是一件非常美的事情，又或者……

總而言之，言而總之，這種天氣，不出來玩，太對不起老天了。

繁華的都市依舊穿梭著各種車輛，就連F縣，汽車聲、軍人的狂吼聲、直升機的螺旋聲都如此熱鬧。

長風此時的心卻是非常的平靜，他的思緒還留在雪兒給他的那句話中，要想知道自己的身世，就要找到自己先祖的陵墓。

唯一的線索，是從父親完顏渡劫留給自己的木牌開始。他知道任天行也有一塊，難道跟自己有關？

長風不禁加快了腳步，恨不得馬上把那木牌給拿過來。不知不覺，他徒步走到了一個路口，抬頭一看，這路口，左邊是通向玄陽寺的路，路口的右邊一塊傾倒的石碑，上面寫著「泗水村」。

「石碑啊石碑，想不到你跟我一樣，這麼孤獨！」長風蹲了下來，感慨了一下，用袖子拍了拍這石碑。

這個石碑原本應該是光滑可鑑的大理石，也許年代太久，沒有人動過，周圍都沾滿了泥塊。

「泗水村，好名字呀！可是，誰又知道在名字的後面，有太多不爲人知的秘密？」重新把石碑立起來之後，長風左看右看，對它微微一笑。

往向玄陽寺，他心裡莫名地一沉，就像是剛剛吞了一塊大石頭一樣，十分的壓抑。怎麼會這樣？這泗水村難道有什麼不妥？長風的這種感覺是與生俱來的，完顏世家的人，都有這種能力，這是一種感應。

造孽啊，怎麼會有這麼大的怨氣？既然碰上了，也算是個緣分。

沿路走進了村裡，經過一條水溝，他看到了一棵很大的樹，這是一棵榕樹，可以看出它浸泡在水中已經很多年了，幾乎把整個水溝都塞滿了，樹幹有一側靠在水溝旁，上面釘著毛茸茸的東西，發出股股的惡臭。

「寄命？」長風失聲說了一句，走到那棵樹旁，用手一摸，一把毛茸茸的東西抓在手上，細細地捏了捏。

是麻雀骸骨，只剩下幾根細骨，還有一身的皮毛，中間有一枚釘子。這是中國農村的習俗，據說在村裡面，一旦小孩子生重病，又或者有人中邪，一定要紅繩綁住麻雀的腿，然後用釘子把麻雀釘在村裡最老的一棵榕樹上，這叫「寄命」。

榕樹具有很長的壽命，而且枝葉茂盛，象徵著繁榮昌盛，幾乎中國的每一個村落都會有一兩棵榕樹。

把一個人生辰八字寫在一張紙上，用紅繩綁在麻雀腿上，然後把麻雀釘在榕樹上，祈禱著這個人能平平安安。這種方式毫無科學根據，如今自然也不知道真僞，也許是一些江湖術士的騙人伎倆，也許還真有效果。

上下五千年歷史，這古國充滿了各種數不盡說不完的奇異事件，有誰能全部記載全？長風長長地舒了一口氣，這「寄命」的說法，在野史上也只是稍微提到，道家、佛家甚至儒家，都沒有正規的記載。

讓他驚訝的是，這棵大樹上釘的這些麻雀，起碼有上百隻。

捏斷了一片木耳，長風聞了一下，之後舉起來，藉著月光仔細地看，木耳中央，長滿了一層很細的毛。

長風心裡說道：是什麼東西讓這裡充滿了怨氣，就連木耳都會起毛？

長風的手不由得抖了幾下。這個泗水村，背後是一座很低的山，光禿禿的，右邊是一片茂密的竹林，整個村充滿了怨氣，這種怨氣長久不衰，充斥在每個角落，村裡烏黑一片，沒有人煙，四周一片寧靜，就連田雞、蟋蟀的聲音都聽不到。

這不叫寧靜，叫死寂。

看這個村，這裡的房子大多都是石塊，或者磚瓦房，有的橫樑斷壁，有的房頂已經被掀開，至少有幾年沒有人住，雜草叢生，到處荒蕪。

經過這麼多年的風吹雨打，這些都變得殘舊。不過，仍然可以看出來，以前這裡曾經是一個富裕的村落。

長風推開了一個木筏做的門，進入院子裡，周圍都是雜草，院子中間是用碎石鋪成的，一片光禿禿的，只有幾株野草。

眼光停留在院子的牆上，上面留有三道劃痕吸引了他。長風一步一步地走近，這牆用土築成，上面的痕跡很顯眼，長長地劃過。

伸出右手，長風用自己的手指對照這痕跡量了量，這痕跡的寬度居然跟手指吻合，這是手指抓出來的。

是什麼原因讓這個人這麼瘋狂地抓這牆壁？

長風進入了這家人的房子裡，這是一個標準的南方瓦房，兩個房間，中間是一個大廳，大廳上面掛著奠祭先人的牌位。

周圍放著幾個小凳子，這是典型的農村房子，但是讓人感到陰森的是，房子門口插了幾株柳樹枝。最讓人恐怖的是，裡面到處都貼滿了東西，雖然隨著年份的逝去，依然看得出是符咒。

不只是這一家，長風看到周圍這幾家，到處都貼滿了符咒。

好不容易在牆角找到了一張還算完好的符咒，上面的鬼畫符稍微清楚一點，仔細分析了半天，終於看出上面寫的什麼字。

中國的道教和佛教，加起來一共有三千多種符咒，七百多種手印，可謂種類繁多，百花爭放。

那符咒是「驅魔符」，這是長風最熟悉不過的，讓長風感到好笑的是，這驅魔符寫得中規中矩，有模有樣，但是畫符的人卻在符咒的位置上放錯了一個字。

差之毫釐失之千里就這意思，而且，這符咒居然是沒有開過光的。就算是畫對了，也沒有任何效果。

一些江湖術士就靠騙術為生，根本不在乎人的生死，這些符咒，多半就是這類人騙錢的道具，長風咒罵了一句。

長風掐指算了一下，他已經看出來，這個村裡面被人布了一個陣式，兩腳在周圍一轉，整個人進入了陣中。

「開天眼！」長風嘴裡念著咒語，手印一擺，在自己的眼皮上輕輕一摸，眼睛徐徐地睜開。

天眼打開之後，看到了平時看不到的東西。

四周就像有一層層的黑霧不停地動，沒有風，但是村裡的那些樹不停地搖擺，長風仔細一看，心裡一涼。那些大樹上掛著長短不一的白色布條，有個長髮的女人脖子正掛在那布條上不停地搖擺，把那些樹枝搖得嘩嘩作響。

她徐徐地轉過頭來，長長的頭髮遮住了她的臉，一種虛弱的聲音從喉嚨裡傳了出來，可能是布條勒住了她的脖子，說的話很不清晰。

長風閉上眼睛，用意念去體會她的話，漸漸的，終於聽清了她的話。

「快……走！」她不停地對任天行說這句話，聲音逐漸由勸說變成催促，見到長風沒有走，她最後居然發怒。

「走開，離這裡遠點！」她的聲音突然提高了許多，頭微微一仰，頭髮撇到兩旁，一條長長的紅舌漸漸地露了出來，一直長到胸部部位。臉上蒼白的皮膚有兩個黑壓壓的洞，裡面不停地爬出蟲子。

吊死的人，死後變成鬼都是長舌的。讓長風驚訝的是，她臉上的那兩個洞是怎麼來的。

「我佛慈悲，送妳去超度！」長風心裡長歎了一下，對著她，嘴裡喃喃有語。四周梵唱聲起，一片祥和。

那女鬼似乎很受用，長長的布條漸漸地解開了，她的身體飄浮在空中，身上閃出一股淡黃色的光。她臉上露出了驚喜之色，漸漸的，她的身子轟的一下化成了一股黃色的煙，升上了天。

長風不停地念經，突然那女鬼尖叫一聲，打斷了長風的梵唱。

那黃色的煙升空的時候，突然間卡在了黑壓壓的雲上，之後被那些黑雲給吞沒。黑雲就像是沸騰了一樣，不停地上下翻滾著，偶爾有一個人頭模樣的凸出黑雲對著長風咧嘴大吼，兇神惡煞一般。

長風知道，這是一股非常強大的怨氣。

遠在村口時，他對這股怨氣就有了很大的反應，如今，開了天眼之後，終於看到怨氣匯集的地方。

四周一望，這泗水村坐落在依山傍水的地方，是個非常好的風水局，爲何會變成這樣呢？先破了這怨氣再說！他在村中央點起了一堆大火，熊熊的烈火足有兩個人那麼高，火堆幾乎把四周十米之內的地方給照亮了。

長風在一旁一邊繼續地往裡面加柴火，嘴裡不停地念金剛經，火苗不停地跳動，沒過多久，這火苗四周轉眼間人影幢幢。

這些人影有高有矮，有胖有瘦，有老人，有小孩，一個一個的影子圍繞著火堆不停地走動，隨著長風嘴裡的梵音，他們一個個越來越興奮，手舞足蹈的，就像是在開焰火晚會。

「塵歸塵，土歸土！魂靈如天界，惡人下地府！陰陽兩相隔……」

隨著輕輕的吟聲，一股暖風徐徐地吹來，這堆火焰的中心居然開啓了一道燦爛的門，那些人影看了之後，好奇地探著頭往裡面看，最後，一個小孩影子跳了進去，然後傳出一陣嘻嘻哈哈的鬧聲，叫上了他的姥爺。一老人也跟著進去，這麼一來，旁邊的人影受到了影響，越來越多的人爭先恐後地跑了進去。

「我佛慈悲！就讓我來超度這些亡靈吧！」說完，他徐徐地閉上眼睛，不停地念經，除了念經，還是念經。

除了嘴巴，長風就像是木頭人一樣，一動不動。

第102章

泗水村的秘密(中)

她居然沒有影子，瞪著一雙大眼，嬌美的臉剎那間變得兇神惡煞一般，在她的笑聲和厲聲中，張開的嘴巴變得奇大無比，嘴裡露出兩排黑黑的牙齒和一根大紅舌頭。

火漸漸地小了，火裡的那道門也漸漸地封閉了，這個時候，一個嬌小的人影在長風的背後出現。人影在月光下，顯得非常模糊，而且正好是在長風的背後，長風絲毫沒有發覺。

她輕輕地走向長風，然後徐徐地伸出了她的手，那是一雙修長的手，長長的指甲在投影中就像一根針一樣。

五指張開，就像一個鋼爪一樣，顯得陰森恐怖。她突然用力往前一戳，戳向長風的脖子上。

一股陰森森的風從背後吹來，十根鋼爪一樣的指甲黑漆漆地掐往長風的脖子上，指甲剛剛碰到脖子，「嗞嗞」的一聲響，一道耀眼的光射向了她。

她慘叫了一聲，原本長長的身影漸漸地縮成了一團，弓著腰不停地打抖。

「就等妳了！」長風冷冷地說了一聲。那股光線是從眉心的一個觀音痣上射出，這是他偷偷在念經的時候點上的。

「啊！……」她高聲尖叫著，不停地顫抖，雙手緊緊地遮住自己的眼睛，不敢正視那道光。

雖然那道光讓她如此痛楚，但是她卻沒有表現出一絲的求饒。

「作惡多端，不去投胎居然在這裡害人，留妳不得。」長風下定決心要把她給除了，在下手的時候，眼角餘光看到了她眼光中居然有一種喜悅。

她高興什麼？她喜悅什麼？她就要在自己的法力之下煙消雲散，有什麼值得高興的？長風突然停住了手，仔細地看著她的表情，果然，良久之後，她沒有見到長風下手，怪異的臉上一股失落的感覺油然而生。

這種神情，不是做作就能做得出來的，這一點長風非常的肯定。

「爲什麼不動手？」她轉過頭來，發出了陰冷的聲音。

從人影上看得出來，她是一個長髮的女子，而且非常的年輕，只是長髮轉過頭去的時候，這個人影似乎有點害怕，一片模糊。

長風捏了一個印訣，對著她一打，一股神秘的力量從掌心衝了出來，把她打得倒退了幾步。

「哎喲！」也許是因爲倒在地上而弄疼了她，讓她發出尖叫。但是隨之，她緊張地摸著自己，一邊摸一邊激動，神情顯得興奮萬分。

「我……我……」她激動得說不出話，一個勁地摸著自己的臉和身子。月光照在地上，除了長風的影子之外，她居然沒有影子。

本身她就是一個黑影，跟影子沒有什麼區別，但是現在，那黑影除去之後，展現在眼前的，赫然就是一個農村裝扮的靚麗婦人。

「你居然把我的身子復原了，你……你是誰？你爲什麼不殺我？爲什麼要幫我？」那女的瞪著一雙大眼，不解地看著長風，原本自己是一團黑霧，眼前這個男人一個手印，就把自己身上的那股黑霧驅散。

黑霧離去之後，依然可以看得出她生前的美色，雖然不是國色天香，但是在這種地方，也算頗有姿色。

「我爲什麼要殺妳？妳現在的樣子，跟在石磨地獄沒什麼區別。我要殺了妳，豈不是便宜妳了？」

「你既然知道這樣，爲何又要救我？」

長風淡然道：「我只是對在妳身子上下了禁咒的那個人感興趣，是誰用這種手段，居然讓妳慘死了之後陰魂不散，但是又不能聚，陰不陰陽不陽的？」

「那個人，那個人，他不是人，他不是人！」她嘴裡喃喃地反覆說了這兩句話，臉上充滿了恐懼。

她抬頭看著長風，厲聲喝道：「你是誰？你跟他是不是一夥的？」

「他是誰？」

「你還想騙我，你還想騙我，你明明跟他是一夥的，你還想騙我！哈哈哈，如果不是一夥的，你又怎麼能解開他的禁咒！你們一定是一夥的，你還我一家五口人的命來！」嬌美的臉剎那間變得兇神惡煞一般，在她的笑聲和厲聲中，張開的嘴巴變得奇大無比，嘴裡露出兩排黑黑的牙齒和一根大紅舌頭。

「回去！」長風一擺手，把她給擊了回去，冷冷地說道：「我告訴妳，要收拾妳，不費我吹灰之力！」

「哈哈哈！」她被打了回去之後，發出近乎狂迷的聲音。她看著長風，扯著尖尖的聲音厲聲道：「是啊，不費吹灰之力，當年他也不費吹灰之力，把我們泗水村三百多口人弄得瘋瘋癲癲，人不人鬼不鬼，自恃有點本事，任意妄爲，居然把我弄成這副模樣，等到三百多人活活餓死之後，他還不讓我們去投胎。哈哈哈，好狠的手段，好狠的手段！他現在是不是死了？是不是死得很慘？我告訴你，蒼天是有眼的，害死我們三百多人，一定會有報應的！」

「怎麼了？他死了？死得好啊！」她瞪大了眼睛，張口笑道，「別以爲我不知道，如果他不是死了，他又怎麼會叫人來解開這個咒語？不讓你看看我現在的模樣，他又怎麼會甘心！」

長風冷冷地看著她，聽著她放肆地大喊，聽著她不斷地咒罵。

罵聲終於停止，她發現自己說了這麼多，這年輕人居然沒有插進一句話。

「說完了？」長風注視著她，徐徐地吐出了三個字。

她見到長風這副模樣，突然間害怕了起來，如果他真的把自己再禁錮起來，自己豈不是又成了一個什麼都不是的東西？

她緊張地問道：「你想幹什麼？你不要過來！」

「妳告訴我，妳嘴裡的他是誰？到底他對這泗水村做過些什麼事情？」

「他沒有告訴你？不會，不可能！」

「妳說的他是誰？」

「你真的不認識他？那你是誰？」

「我？」長風不禁一愣，淡然道：「我也不知道我是誰，也許，我只是一個過客！但是我絕對不認識妳所說的他！」

長風一連淡然的神色，讓她相信了幾分，她狐疑地看著長風，眼睛又往那堆火焰看去。

「我已經給他們超度了！現在，只剩下妳了！」

「他們都走了？走了也好，免得在這個邪惡的地方受苦。」聽到那些靈魂已經被長風超度，她警惕的神色又少了幾分。

「能不能告訴我，你們這裡到底發生了什麼事？」

她看著長風，試圖從他眼裡挖出點什麼，但是，從這長風身體裡透出的一股很溫馨、很舒服的感覺，讓她否定了他跟他是一夥的那種疑惑。

轉頭看著泗水村，她淚水不禁盈眶，哽咽道：「這都是我們造的孽啊！」

六十五年前，這泗水村處於窮山之中，附近常有游擊隊活動，因此，土匪和日軍都不敢貿然在附近來往。

泗水村自給自足之下，也過得有滋有味。

有一天，一個外來的瞎眼乞丐進村來乞食，開始眾人因爲可憐他，救濟了點糧食給他。可是他幾乎每天都來，當時村裡有些人跟游擊隊有來往，見到一個陌生人幾乎每天都來乞食，感覺很可疑，懷疑他是不是奸細，是不是故意裝瞎，因此把他抓起來拷問，最後發現他是真的瞎子，就放走了他。

雖然放了他，但是他被當作奸細抓起來的事情，人人都知道。造孽啊，事情就發生在那一天。

那一天，很多孩子都在村口玩耍，那瞎眼的乞丐蹣跚著走進村。

「打他，打他，他是奸細！」一群孩子聽說過奸細的事情，不由分說，撿起地上的石頭就往這乞丐的身上砸。

大的石頭，小的石頭，紛紛砸在這乞丐的頭上、身上，他拼命地喊著：「我不是奸細，我不是奸細！」

但是，小孩子哪管這麼多？不知道是小孩子因爲他是奸細的事情，還是因爲他們太皮，總之，那天十多個孩子用石頭一個勁地砸那乞丐，後來，村裡的其他孩子聽到吵鬧聲之後，也一起出來拿石頭砸人。

長風吸了一口涼氣，不平地問道：「難道就沒有人阻止這群孩子嗎？」

「雖然中間偶有大人不斷地喝令他們不要砸，但是那幾個人哪能阻止得了這群玩得正瘋的孩子們？」

他們完全把這乞丐當成一個玩具，很多的大人雖然都知道這乞丐不是奸細，但是他天天來討食，心裡多數不願意，根本沒有人有誠心去阻止這群小孩。

後來，這群孩子就這麼用石頭、磚塊、彈弓，追著這乞丐，活活地砸死了他。

他死的時候，還沒來得及跑出村口。臨死之前，他說了一句話，說要我們全村償命。

這乞丐死了之後，大人們才回過神來，把孩子們趕走，但是人都死了，能怎麼辦？草草找了一張草席把這乞丐的屍體捲起來，埋在那片竹林裡。

埋那乞丐的時候，大家發現他嘴巴咬破了自己的舌頭，手裡護著一樣很奇怪的東西，那東西是一個石頭，非常的難看，死了都抱得緊緊的。

長風身子一顫，緊張地問道：「那石頭是什麼樣子的？」

她搖了搖頭，雖然不明白長風為何對這石頭感興趣，但是卻不願意多問，也許只是好奇，隨意地說了一句：「據說是一塊很普通的石頭，除了埋屍體的那幾個人，其他人都沒有見過。」

「那乞丐死了之後，發生了什麼事情？」

第103章

泗水村的秘密(下)

她居然跟他丈夫在第二天天亮之後，扛著鋤頭去挖那個乞丐的墳墓，然後把那棺材打開，幾乎瘋了一樣，用鋤頭狠狠地鋤在那乞丐已經發臭了的身上，一鋤一鋤的，把一個發臭的屍體給鋤得滿目瘡痍。

她聞言之後，臉色大變，似乎處在當時恐怖的事件當中。

她吞吞吐吐地說：「孩子……孩……子們都……」

「孩子們都怎麼了？」

她欲言又止，臉色淒慘，在長風的追問和鼓勵下，終於狠下心來，說了下面的話，讓長風聽得毛骨悚然。

因果報應應驗在了泗水村的身上，小孩的不懂事，大人的冷漠，導致了整個泗水村的滅亡，這個滅亡，一直延續了幾十年。

乞丐死了之後，那些孩童們還曾選出誰是「功臣」，誰是「將軍」，而魔爪就在這些幼稚的童真中伸出了……

她眼神迷茫，吐出了幾個字：「死了，全死了。」

那一天，正好是乞丐死去之後的頭七前夜，村裡一個叫甯祭師的人，囑咐大家晚上不要外出，以防有事情發生，但是那個時候，槍炮都有了，誰還信這個？而且這個祭師很少跟人來往，對他的話，眾人自然不信。

她幽幽地說道：「那一晚，過了半夜三點，正是酣睡的時候，小寶從床上坐了起來，然後下了床，鞋也不穿地推開了自己家的大門走了出去。我和我男人還以為是小寶晚上起來尿尿，所以也沒在意。可是等著等著，感覺不對勁，我推醒了我男人，我男人叫了一下小寶，但是他沒有應答。我們拿了電筒，在房子的四周找了一遍，都沒有發現小寶，逐漸的，我們發現不對，因爲村裡逐漸熱鬧了起來，很多的鄰居也到處找他們的小孩。那些小孩，都像小寶一樣半夜自己起來，不知道跑哪裡去了。也不知道誰，在竹林那邊大喊了一聲，我們很多人湊了過去，那一幕，那一幕讓我們頭皮發麻！」說到此，女人有如身臨其境，驚恐不已。

長風心裡想著，這小寶看來就是她的孩子了，只不知他們看到了什麼，問道：「在竹林那裡，你們看到了什麼？」

「孩子，那些孩子都在那裡，小寶也在那裡，就在埋乞丐的地方！他們幾乎是圍在那個埋乞丐的四周，一共六十多個孩子，一個個面無表情，雙腿微微彎曲，一動不動，頭垂著，兩眼死死地盯著那個埋葬乞丐的地方。小寶原本清澈的大眼睛，就像死魚一樣，一大半白色的眼珠翻在外面，死死地盯著那個被埋在地下的乞丐，我知道，是那個乞丐死得不甘心！他回來了，他回來了！」

也不知道是誰，驚駭地叫了一聲，然後急匆匆地把他的孩子一下抱了起來，飛快地把孩子抱回家去。

這一下，家長們都急了，也效仿著把孩子給抱走。那些孩子幾乎是沒有感覺，抱他們的時候還傻愣愣的，沒有一點反應。

長風想起了唐心，當時他曾經去唐心的宿舍查看過，唐心的舍友譚大曾經描述唐心半夜在陽台的怪事，那種表情跟這些孩子一樣，而且，當時唐心拿著的是那塊價值八千萬的石頭。

那個乞丐手上的石頭，難道跟唐心當時拿的是同一塊？

那些大人把孩子們抱回去了之後，孩子們幾乎一動不動，沒有一點反應，不管怎麼拍，怎麼搖，都沒有效果。有些人慌了，急忙請來了醫生，醫生給他們打鹽水，給他們吃藥，給他們用熱水敷臉，但是，他們就像植物人一樣不會動。

爲什麼像植物人？因爲那些孩子的心臟還在跳，雖然微弱，但還是在生命線上的，而且鼻孔還在呼吸。

有些人說是到了頭七，那個瞎眼乞丐回來報仇啦，回來索命了，於是，一堆一堆的人，連夜殺雞宰羊，拿香燭、元寶去拜祭那乞丐。

不知道是因爲拜祭了那乞丐，還是因爲天亮的緣故，那些孩子都甦醒了，他們就像剛剛睡醒一樣，什麼都不知道，也不記得夜裡的事情，依然像以前一樣。

村裡的大人們面面相覷，最後商量，到縣裡買了一口上好的棺材，在縣裡請了一個道士來作法，給乞丐下葬。

這一番工夫之後，眾人都安心了不少，不過，這只是個開端。

一入夜，那些孩子們又開始了，他們跟昨晚一樣，就像變成了另外一個人，大人們怕孩子們出事，就用繩子綁著孩子，不讓他們亂走，可是他們不知道哪裡來的力氣，把繩子咬斷之後，又到了埋叫花子的地方。

有人說這是鬼上身，有人說他們被那個乞丐攝走了魂魄。

「小寶啊，我的小寶啊！」她想到了她的孩子，號啕大哭，聲音尖銳而陰森，幽幽地哭訴。

長風沒打擾她，只是靜靜地聽。那些孩子絕對不是被鬼上身，也不是被攝走了魂魄，看來，這事情是跟那塊石頭有關。

很多時候，這種事情，會讓人聯想到鬼上身，但是他們卻不知道，鬼要上人的身，跟人見到鬼一樣難。不是普通的鬼就能隨隨便便地上人的身，也不是普通的人就能隨隨便便見到鬼。

很多人都怕鬼，因為他們沒見過，人就是這樣，對於無知的東西，有一種莫名的恐懼感。但是，他們不知道，鬼也怕人，就像人怕鬼一樣。

人怕鬼三分，鬼怕人七分，這句話自古就有，是真理還是自我安慰之詞，這就仁者見仁智者見智了。

孩子們變成這副模樣，大家都慌了，用他們的話說，這就是中邪了。

道士來了幾天，舞弄了幾天，然後就走了，但是依舊不見效，孩子們一到了晚上，就會變成那樣。

短短幾天，整個泗水村籠罩在一團陰影中。

「我受不了了，這是我的孩子，我又怎麼能天天讓他這樣？我跟我男人說，都是那個乞丐弄的，一定是那個乞丐，他沒有來的時候什麼事都沒有，他來了之後，我們的小寶就變成這樣了。」

讓人髮指的是，她居然跟他丈夫在第二天天亮之後，扛著鋤頭去挖那個乞丐的墳墓，然後把那棺材打開，幾乎瘋了一樣，用鋤頭狠狠地鋤在那乞丐已經發臭了的身上，一鋤一鋤的，把一個發臭的屍體給鋤得滿目瘡痍。

由於孩子的原因，他們兩人幾乎瘋狂了，把那屍體放在太陽底下曝曬。

很多村民都圍過來看，但是居然沒有人阻止，有些人聽說黑狗血能驅鬼，不知道去哪裡弄了一盤黑狗血，淋在那千瘡百孔的屍體上。

長風眼裡露出一種厭惡，對這些無知村民的厭惡，他雖然同情他們的遭遇，但是依然是厭惡。

她用幾乎瘋狂的語氣對長風說了一句話：「你是不是覺得我們很瘋狂？」

「是！」長風冷冷地擠出了一個字，不屑地看著她。

她哈哈大笑，轉而又大哭，半癡呆地叫道：「是啊，我們很瘋狂，我們不得不瘋狂！小寶是我們一家的命根子，他要是有事，我和我男人都活不下去，我公公婆婆因爲小寶出的這個事，親自跑到十多公里外的其他村去請高人，可是，人沒請回來，送回來的是他們的屍首。公公婆婆是被狼給咬死的，他們的屍體在拉回村的時候，只剩下半個頭和身子，手腳一節一節的！要不是被游擊隊的人遇上，公公婆婆的屍體連塊皮都不會剩。你說，如果是你家遇到這樣的事情，你會不會瘋狂？會不會瘋狂？」

長風震撼了，他沒想到，原來居然還有這麼一件事，小孩子就像中邪了一樣，家裡老人又因爲幫孩子驅邪，徒步去請高人，沒想到遇到狼群，死得淒慘，難怪他們會瘋狂地把那乞丐給挖了出來。

「哈哈哈！我們把那乞丐的屍體掛在一棵樹上，讓太陽曝曬他，讓蒼蠅、老鼠去享受豐富的晚餐。那該死的乞丐，死後還死死地握著那石頭，我男人看著眼紅，用家裡的菜刀把他的手給剁了下來，拿回家之後，把那石頭扔在後園，把那兩隻手放到鍋裡，用水燉……」

長風突然間一陣反胃，這兩個人一定瘋了，他們居然……

她冷笑了一下，看著長風說道：「不要以爲我們瘋了，我們還沒有蠢到去吃他的肉！是，我承認，當時我真恨不得把他全身都放鍋裡，然後吃光他。但是我男人不讓，他還打我，那是他第一次打我。」

「後來，燉得夠爛了，我男人還怕味道不夠鮮美，怕那肉因爲變臭，燉出來的味道不新鮮，還加了八角，加了上好的花生油，還放了鹽，爲了去臭，還特地放了魚腥草。我們把那燉好的肉，給了我家的大黃狗吃，那大黃狗吃得可香了。」

長風突然間喝了一聲：「你們這麼做，難道就沒有人阻止你們嗎？」

「阻止？哈哈哈，他們那些人誰沒有孩子？他們的孩子哪個不是到了晚上癡癡呆呆的？他們阻止？他們爲什麼要阻止？有些人比我們還瘋狂，王二愣子的媳婦莫姑，在入夜的時候，居然帶著菜刀，把那乞丐的大腿肉給割了下來，據說他們夫婦

居然把那肉當成了晚餐。」

在那個年代，正是戰爭時期，孩子是全家的希望，但是那些孩子都變成這樣，難怪他們會瘋狂。

「是，是有人阻止，就是那個姓甯的祭師，他們家據說幾百年來都是祭師，只是我們根本不讓他插手。」

可以想像，就算當時有人要阻止，看到這麼多瘋狂的人，也毫無辦法。

「那天晚上，整個泗水村都歡呼，自從那天晚上之後，那些孩子居然正常了，小寶半夜居然起來尿尿，居然嚷嚷肚子餓。孩子正常了，孩子的邪氣給我們的鋤頭給鋤走了！」

長風聽到這裡，居然有點高興，說道：「孩子們都好了？」說完之後，自己也感覺荒唐，如果這樣就沒事，她之前說的泗水村三百多人死亡的事情就不會發生了。

「好了，但是……但是……」她說著說著，哽咽了一陣，最後淚水奪眶而出，大聲哭吼道，「瘋了！他們瘋了！都瘋了！我們錯了，我們都錯了，我們從開始就不應該那麼對待那個乞丐，這是報應，報應啊！」

第104章

妖人

妖人走了之後，泗水村全村三百多口人，變得異常的詭異，他們白天行屍走肉地活著，沒有一絲感情，到了晚上，他們到處去覓食，只要是活的，他們都喜歡。

有人說，人的眼淚代表執著，鬼的眼淚代表愛，代表重生。

這一點都不假。人如果流淚是爲某事某人，是因爲對其執著，放不下，而鬼，因懺悔流淚，表示其已經放下。

長風不禁歎了一口氣，面對他們的種種，他又能做些什麼呢？

孩子們剛剛正常了兩天，到第三天，就又出事了。

深夜的時候，泗水村斷斷續續傳出哀叫的聲音，是那些孩子，他們瘋了，他們居然在半夜的時候，把自己的親人當成食物，咧開他們的小嘴，狠狠地咬在自己親人的身體上。

在親人的手臂上、脖子上、喉嚨上、耳朵上、乳房上、屁股上……，總之，只要靠近他們嘴巴的地方，他們都咬。

那些孩子滿嘴的鮮血，就像瘋了的狼群一樣，撲向自己的親人，那些親人醒過來之後，只好五花大綁地把自己的孩子給綁了起來。

那些孩子，就這麼瘋了，他們只要看到會動的，就會不顧一切撲上去咬。

如果你見過狼，如果你見過一群被關了十天還沒有餓死的狼，突然間把食物扔給牠們，你就知道牠們是如何的饑餓，如何的兇悍了。

天亮，只要天亮，所有的事情都跟沒發生一樣，但是只要是天黑，泗水村就像是另一個世界，不，應該說是地獄。

村民們請來了很多醫生，但是那些醫生怎麼都不相信會有這種事情，有些醫生爲了探個虛實，還特地留宿泗水村，後來，不是半夜被嚇走，就是因爲束手無策而羞愧地當夜離開泗水村。

這些村民們天天拜神祈福，求菩薩保佑，那棵大榕樹釘滿了麻雀，便是村民們希望榕樹大仙能把孩子的命給看好。

「我們家的小寶，被我和我男人綁了起來，我們給他飯吃，給他雞肉，給他魚，他都不吃，他什麼都不吃，一天一天的，他瘦得皮包骨頭。」

「最後，他看到我們家的大黃狗的時候，臉上居然露出一副饞相，我們以爲他想吃狗肉，把狗給殺了，燉了狗肉給他吃。但他什麼都不吃，他……他只吃活的東西。小寶他居然吃生雞生鴨。」

這些孩子，幾乎都一個德行，只吃活生生的東西，抓住一隻雞就往嘴裡送，嘴巴咬在雞脖子上、雞大腿上、雞屁股上……

滿嘴的生血，滿嘴的雞毛……，越來越不對勁，村裡一些沒有孩子的人，趕緊變賣家產跑了出去，一些膽小的人也偷偷地離開了泗水村。

但是，大多數的人都還留著，因爲，他們的孩子在這裡。最後，那些孩子逐漸地病死了。

這個時候，來了一個人，據說是逃出去的人在外地說了這件奇怪的事情，他感到好奇才來的，因爲他能治這個病！

他告訴泗水村的人，說這些孩子之所以這樣，是因爲他們的魂魄不在軀體裡面了，孩子們的三魂六魄，已經被攝走了！

眾人見他說得在理，不禁對他另眼相看。

他來了之後，先是把那個乞丐的屍體入殮，找了一個風水寶地，把乞丐給埋了。然後看了那些沒有死的孩子，也不知道是怎麼弄的，那些孩子居然有了好轉。

「這麼說，他是個世外高人了？」長風嘀咕了一陣。

這女鬼突然提高了聲音，叫道：「他不是人，他根本不是人，他是惡魔，他是沒心沒肺的惡魔！這個人來了之後，使用各種手段，讓大家自願把値錢的東西交給他，他的尾巴一點一點地露了出來。我們每個人都可以從他的眼睛裡看得出他看到錢財的那種貪婪本性，但是大家心知肚明，就是沒點破，對我們來說，自己的孩子比這些更加重要。他來了之後，搜刮了我們所有值錢的東西，然後就像是一個土皇帝一樣，對我們呼之而來，揮之而去，要是有人不從，他也不強求，只要他一天不給孩子治病，那孩子就沒有活命的機會。」

長風皺眉了一下，問道：「這人到底是什麼人？如此惡劣之人，你們又怎麼能相信呢？」

「他是一個妖人！他會法術！他是惡魔！」

這個人把這些村民值錢的東西都搜刮了之後，懷疑有些人會藏私，居然厚顏無恥地跟眾人說，是因爲他們的過錯，草菅人命，這場災難是天災，這是因果報應。他出手救了這些人，是逆天行事，會受到天譴的，所以他需要一些補償。補償的方法，就是把所有值錢的東西都要給他，如果有人藏私，老天就會馬上降臨災難到那個人的身上。

眾人不敢當他的面說他，畢竟自己的孩子還要靠他醫治，那天夜裡，有幾家人突然間暴斃而亡，他對眾人說，那是天譴。

「我們把所有的財物都給他之後，他開始還幫孩子們治療了幾天，那些孩子雖然沒有完全好起來，但起碼能安安靜靜地坐在那裡，可以吃點人吃的東西了。」

長風心裡越來越沉，這個人這麼貪婪自私，一定不會這麼輕易治好這些人，說不定，還另有隱情。

果然，那女鬼說到最後的時候，讓長風臉色大變。

那個妖人除了貪財，還貪色，姿色略好的女子，如果不從他，他就會用各種手段把女人給弄到手。

有一家子，捨棄了他們的小孩，把大女兒給帶上，偷偷出了泗水村，但是天亮的時候，有人發現他們那家人全部暴斃在村外不遠的地方，那個略有姿色的女孩，死了之後都被人凌辱。

「姦屍！這畜生！」長風憤然大罵。連屍體都不放過，這個人根本沒有人性，怪不得這女鬼說他是個妖人。

那女鬼微微地歎了一口氣，說道：「要不是爲了小寶，就算要我死，我也不會從他。他根本不是人，他的心比蛇蠍還毒！我都從了他，但是他居然把我男人給害死。我男人死後，我也活不下去了，我就算要死，也要他賠命！那天晚上，我從了他之後，不顧羞恥地挑逗他，一個晚上跟他做了不下十次，他累得起不來，我藉口去茅廁，出了門之後，我悄悄地把門反鎖，把準備好的汽油澆在了我家附近，然後

點燃了。」

可憐她的孩子小寶，爲了取得那個妖人的信任，她不敢把孩子帶出去，她點燃了火，大火瞬間把房子給燒著了，孩子和那妖人就在裡面，出也出不來。

她的男人死了，她孩子在這把火之下也難逃厄運，她自己也不想活了，她在自己的身上澆滿了汽油，然後打開反鎖的門，進入屋子裡之後又反鎖上了，她要跟自己的孩子死在一起，她要抱著這個妖人同歸於盡。

這妖人在炎熱的火中醒來，發現四周都是火，一個火人向他撲來。這妖人明白了過來，居然沒有一絲懼色，而是從布袋裡面掏出了一張黃色的符咒，打在她身上，然後就用妖術從地下離開這個大火。

「遁地術！」長風失聲叫了一句，心裡隱隱覺得不對，這遁地術是茅山派的獨家法術，他怎麼也會？

那女鬼慘笑了一句：「他就這麼走了，他走了之後，整個泗水村就完了，不只是小孩，連大人都變得跟小孩一樣瘋瘋癲癲。」

泗水村，就這麼完了！

全村三百多口人，變得異常的詭異，他們白天行屍走肉地活著，沒有一絲感情，到了晚上，到處去覓食，只要是活的，他們都喜歡。

村裡的雞、鴨、鵝、豬、狗……等等，成了他們嘴裡的美食。

最後，這些都沒有了，他們相互地撕咬，人吃人！

那些早就逃出去的村民，在外面到處求救，附近鄰村的人派了不少人來泗水村，但是進入泗水村之後，就再也沒有見他們出來。

後來，日本鬼子打了過來，他們進入了泗水村，用他們手上的槍炮，把那些變得麻木了的村民全部殺光，然後到處搜刮。最後，因爲泗水村的這些人行動怪異，他們不敢逗留，把搜到的東西帶上之後，到離泗水村不遠的玄陽寺落腳。

她哀怨地說：「三百多口人，就這麼慘死了，這是報應啊，報應啊！」稍後又幽幽一歎道，「我沒想到，我有意識的時候，我看了自己，我的身子沒了，我就成了一團黑壓壓的東西，我根本分不清我是什麼。就算老天要懲罰我，讓我做牛做馬，我都願意，但是，我居然連這個資格都沒有。要不是……要不是你……你今天來了，我不知道要等到什麼時候，才能夠解脫。」

長風同情地看了她一眼：「妳還記不記得，那個妖人，長什麼模樣？」

她想了想，搖了搖頭，然後又稍微點了點頭。長風靜靜地等待，畢竟，時間過去已經有六十多年了，而這六十多年來，長期困在恐懼和瘋狂的環境中，再重要的記憶也會被磨損掉。

而且，就算記得那個人，過了半個世紀，說不定已經死了。

她一邊想一邊說道：「我只記得，他的嘴角，左邊嘴角，有一顆大痣。」

「對，是一顆大痣！他說過，那顆痣是他們家的標誌，因爲那顆痣是遺傳的，如果他有後人，他的後人一定也有這麼一顆痣。」

長風點了點頭，有些家族的基因很奇怪，遺傳因子非常活躍，只要先人有的，他們的後人就會有，最常見的莫過於胎記、六指和在耳朵邊長一個肉丁。痣，也是遺傳的一種特點之一。有了這個線索，他就好找多了，這個人還會茅山的道術，也許古晶能有點線索。

「妳該上路了，黃泉之路，已經打開了，進去之後，是做人還是做畜，看妳造化了！」長風捏了一個手印，把這女鬼給送走了。

第 105 章

玉玲瓏

「白玉玲瓏」的出現，終於揭開了最終的謎底。周芷慧手上的「玉玲瓏」，是一顆黑色圓潤的珠子，跟這個「白玉玲瓏」原本是一對，叫「黑玉玲瓏」，上古之書記載的名為「白玉瓏」和「黑珍瓏」。

人的姓名，只是一個符號、一個代號而已，生前的時候是爲了稱呼方便，但是死後叫什麼都無所謂了。如果你有幸看到死後的人，你可以稱呼他叫A鬼、B鬼，或者甲鬼、乙鬼，沒有人會說你不對。

這個女鬼走了，從見到她，到送她走，也不過一個時辰的事情，她沒有姓名，長風也沒打算問她姓名，她轉身離去的時候，長風注意到了她耳垂處有一顆殷紅的胎記。（長風去新疆古墓的時候，在烏魯木齊市看到了一個剛剛出生的女嬰，她的耳垂處也有這麼一個胎記，不知道是巧合還是這個女鬼投胎。）

長風後來見到任天行的時候，說起了泗水村的事情，這才發現兩人所知道的泗水村情況存在著諸多矛盾，任天行遇到的那個老村長和長風遇到的那個女鬼，兩者的說法出入頗多，時序也顯得錯亂，這到底是怎麼回事？他們把資料總結了一下，似乎這個女鬼的說法比較可信，事件逐漸明晰了起來。

那些日本人搜刮了泗水村之後，一定發現那個妖人藏東西的地方，所以把東西帶走了，那顆被扔在後院裡的石頭，有九成也是給這些日本人帶走了。

日本人對於中國文化的認識，淺薄得不能再淺薄，搜到這麼多值錢的東西的那個時候，再看到一塊石頭，也會誤以爲是個寶物。

離開泗水村，這些日本人在玄陽寺落腳，當時日本人需要在湘西建立一個供需基地，因此在F縣開闢了一個彈藥庫，彈藥庫的入口，就在寺廟裡面。由於那塊石頭的緣故，在玄陽寺裡面的日本人，跟泗水村的人一樣，幾乎全部著魔了，他們相互廝殺，相互撕咬，玄陽寺裡裡外外的斑斑血跡，就是這麼來的。對於那塊石頭，長風親自見識過它的厲害，嘰咕和噬魂，就是藏在那塊石頭裡面。噬魂的力量非常強大，能在無形之中吞噬一個人的魂魄，當初是唐心第一個遇到這個事情，然後在他面前，小區的一個手下，也因爲噬魂差點喪命。

泗水村事件的真正元兇，是那塊石頭裡面的邪物「噬魂」，並非那個乞丐。只是，讓人不解的是，這個乞丐是誰？那塊石頭怎麼會在他手裡？

費了一番工夫，終於把圍繞在村裡的那股怨氣給驅散了，原本陰森壓抑的感覺一掃而空。秋風徐徐吹來，把六十多年來的一切給吹走了。

長風特地到竹林那裡走了一趟，照著那女鬼指的地方，找到了那個乞丐的墳墓。不知道是年久失修，還是當年那場事件的原因，那個乞丐的墳頭，露出了一截棺材。

找了一把鐵鏟，長風本想給這墓修一下，畢竟入土爲安是首要之事，但是鏟著鏟著的時候，他發現墳墓的四周，居然長著小百合。

按照道家風水學說，凡生前爲人清廉、高尚之人，死後必定有百合相伴。這個瞎眼乞丐的墳，怎麼會有這小百合，難道……

挖開了墳墓之後，長風拜祭了幾下，然後把棺材給掀開。

裡面一副殘缺不全的骸骨，身上一套破爛的衣服，在一陣秋風中，像隻蝴蝶一樣到處亂飛。

這骸骨幾乎慘不忍睹，胸部的肋骨沒有一根是完整的。長風痛苦地皺眉，心情十分低沉，把這骸骨收拾了一下，不經意間，他看到了一個東西。

這東西在這屍體身邊，有一個用毛線編成的圓球，裡面裝著一個圓潤的珠子，發出溫和的白光，那白光的光潤色澤鮮明，猶如奶一般的亮澤。

拿起來之後，仔細地端詳，長風長長地舒了一口氣：「白玉玲瓏！」

這個「白玉玲瓏」在長風的手上，周圍流動著一層氣霧，讓人如沐春風，精神百倍。「白玉玲瓏」的出現，終於揭開了最終的謎底。

老乞丐之所以不畏懼那個石頭裡的邪物，是因爲有這個「白玉玲瓏」鎭壓著它。長風悄悄用靈力探入其中，這圓潤的珠子光芒更盛，夜明珠之光也不過如此。

不過，長風沒有想到的是，龍牙組織的周芷慧，正負責看守著「玉玲瓏」和「舍利子」的重任，她手上的「玉玲瓏」，是一顆黑色圓潤的珠子，跟「白玉玲瓏」原本是一對，叫「黑玉玲瓏」，上古之書記載，名爲「白玉瓏」和「黑珍瓏」。

藉著這白玉玲瓏的光，長風看到了貼在棺材上的符咒，那是一個鎮屍符，上面鬼畫符一般的字體，十分醒目。

經過了這麼多年，這黃色的符咒被風吹雨打，紙張已經褪色，上面寫的咒語已經分辨不清了。

長風不屑地看著這符咒，寫這個符咒的人，只不過是稍微學了點皮毛的道術。真正懂得道術的人，符咒就算被風吹雨打幾十年，黃符紙上的咒語一定不會模糊，而是像刻在石板上的字一樣清晰可見。

把棺材埋入地下之後，長風離開了泗水村，朝玄陽寺而去。

遠處炮火聲不斷，捷報連連傳來，任天行坐在直升機上，來回地巡視著附近各小組的戰況。他用無線電指揮著全局，也幸虧他之前有跟殭屍交手的機會，讓他有了對付這些殭屍的經驗。

所有的滅蟲小組，全部換上了必需裝備，小型火箭發射器、軍用火焰噴射器、固體燃燒手雷、特製的高燃榴彈槍，這些易燃易爆、具有高強度黏性和爆炸性的武器，在那些殭屍的身上不斷地攻擊。陣陣的吼聲不斷傳來，那些士兵們的狂叫聲、興奮聲、慘叫聲，斷斷續續地洋溢在對講機中。

任天行眉心緊鎖，越到後面，就越感到危機的存在。

這三十四具殭屍，首開紀錄的是大石頭，然後是他，一連對付六具殭屍。

這六具殭屍中，白毛殭屍和紫毛殭屍，幾乎要了他們的命，要是以前遇到這些殭屍，那只有送死的份兒。

但是那些戰士們不一樣，他們只是普通人，充其量也只是受過訓練的士兵，跟這些殭屍比，簡直是雞蛋碰石頭。

凌晨兩點，各小組幾乎都遇到了殭屍，十二個分隊，有二十二次報告，也就意味著解決了二十二具殭屍，這些殭屍雖然只是普通殭屍，但是依舊讓人色變。

二十二具殭屍，耗費了近五十發火箭彈，三十六個手雷，以及不計其數的衝鋒槍子彈。這二十二具屍體，在這樣的火力攻擊下，仍然弄死了二十二個士兵。

這些殭屍，可以用瘋狂來形容，一個火箭彈打在它們身上，整個身子都被炸掉了一半，屍體也飛出老遠，但是它們居然還能在士兵靠近的時候蹦了起來，用剩餘的一隻手插在士兵的脖子上。

還有的殭屍，一跳就是六米多遠，帶著全身的火焰，衝進了吉普車裡。那些在車子裡的士兵，轉眼間被它身上的大火給燒成了火球，就這麼一起變成了灰燼。

還有一個小隊四個人，用計引那殭屍上鉤，用手雷佈置在附近，那殭屍剛剛踏入陷阱，就被轟成了火球，然後兩發火箭彈在同一時刻發射，把那殭屍炸成了碎塊。正在歡呼的時候，他們發現周圍莫名地多了三具殭屍，而在他們反應過來之後，那些殭屍像鋼爪一樣的指甲已經伸進了他們的腹部。在還有最後一絲神志的時候，他們拉響了身上的手雷。

就這樣，一件件讓人震撼的事情發生了，一位位可敬、勇敢的戰士，在這場跟殭屍較量的戰役中犧牲了。戰士們把自己的軀體獻在了湘西這塊神聖的大地上，他們爲了F縣六十萬百姓的安危，捐出了自己的生命。

三十四具殭屍中，還有五具沒有被發現，而此時，已經凌晨三點。整整一個小時，對講機的聲音漸漸地減少，各小組隔一會兒就會報告自己的方位。

「轟！」沉寂了一個小時之後，對講機裡一聲尖叫喊起之後，隨之便是這一聲強烈的爆炸聲。任天行手微微一顫，還沒等到他呼叫，那對講機傳來了「咯咯咯」

的骨頭斷裂之聲，之後，幾聲喉嚨悶響，就像鮮血從喉嚨裡突然間湧出來的那種咕嚕咕嚕的聲音。

「吼！」陰冷而低沉的聲音從對講機裡傳了出來，之後哢嚓幾聲，變成了沙沙的聲音，這對講機被毀了。

悅月和王婷婷臉色同時一變，面面相覷。

任天行臉色一變，對著指揮中心呼叫：「江衛華！查查是哪個小組！」

「是第一小分隊！」江衛華在指揮中心聽到不妥的時候，已經著手追蹤了，這第一小隊正好是石磊負責的，在玄陽寺附近。

「接第一小分隊！」

「老鷹呼叫小雞，小雞一號收到請回答！」

「任老大，我們這邊出事了！」對講機傳來大石頭沙啞的喘氣聲和車的狂奔聲，這大石頭已經顧不得報告了，聽到任天行的聲音，就像見到了救星一樣，扯著嗓子喊了起來，遠處炮聲不斷傳來。

「你那邊什麼情況？」任天行連續追問了三次，但是對講機除了嗡嗡的車聲，就是大石頭遠遠的鬼叫聲，炮聲在他鬼叫聲之後響起。

「渾蛋！走，目標玄陽寺。」任天行對著飛行員吼了一聲，焦急地催著。大石頭那邊一定出了大事，聽他那鬼叫的聲音就知道這小子又沒幹好事。

悅月的小手輕輕地拍了拍任天行緊張的手，她知道任天行是在擔心大石頭出事，安慰道：「聽聲音，這大石頭暫時還沒事，冷靜點。」

任天行看了悅月一眼，點頭致謝，深深地吸了一口氣，給自己放鬆，呼叫道：「各單位注意，從現在開始，你們遇到大蟲，不要打擾它，先跟我報告，如果被它發現，趕緊撤離，保護好自己。」

直升機呼嘯著往玄陽寺飛去，對講機又出來了大石頭的聲音。他大口大口地喘著氣，用近乎瘋狂的聲音嘶喊：「任老大，這玩意兒他媽的變態，就算一輛坦克，也早被我轟了，這玩意兒居然一根毛都不掉！」

「大石頭！你給我聽著！不要跟它硬拼，趕緊走！」

「走？我他媽的能走，就不用在這裡給這玩意兒搔癢了！」

「你挺住，我馬上到！」

這大石頭果然是在給這玩意兒搔癢，他坐在吉普車上開到最大馬力，瘋狂地往前衝，在拐彎的時候，居然鬆開了方向盤，兩手握住一火箭筒，向後一放。

呼嘯的一聲，一枚火箭彈從火箭筒裡噴發，對著後面一個蹦跳的殭屍打去。

「轟！」一聲爆炸聲，那殭屍被這火箭彈打中，爆炸聲帶起的氣浪，把它炸到後面遠遠的地方。

「狗日的，操！看你還敢不敢追我老石！」

話音剛剛落，遠處那殭屍騰的一下，又從地上跳了起來，伸著兩手蹦跳著追來，速度非常的快。大石頭哭笑不得，哀叫道：「還來？天，這都什麼玩意兒！這世上居然還有這東西！」

大石頭一手握住方向盤，一手裝上火箭彈，開著吉普車狂奔，那殭屍就追在吉普車的後面，一股濃濃的硝煙地從身體裡散了出來，胸膛處露出一片片的紅色毛髮，這赫然就是紅毛殭屍。

「長風！」大石頭開著車，看到遠處一個人的人影，認出是任天行的朋友，急忙大叫：「長風先生，快走！別過來！」

這話不但沒把來人給喝走，長風反而邁開腳步向那殭屍奔去！

第106章

紅毛殭屍

紅毛殭屍消瘦的臉上，長著一塊一塊的屍斑，深深的眼洞裡，兩股精光透著一股寒氣，最讓人心寒的是，嘴唇被兩顆牙齒微微頂起，黑得發亮的指甲比手指還長，兩指甲相碰之下，居然有「鏘鏘」的聲音。

這一下把大石頭愣住了，他緊急地煞車，扛著火箭筒就下了車。他知道這個長風跟任老大是過命交情，無論如何也不能讓他出事。

「快走，那玩意兒不是人！」

那紅毛殭屍跳得非常快，幾乎能趕上汽車，一下幾米一下幾米地跳，眼看它就要跳到長風面前，大石頭心裡一沉，撒腿往另一邊跑去，一邊跑還一邊向那殭屍吼叫著：「來啊，來啊，來追啊，你這隻連我外婆都打不過的孬種，居然敢來追哥哥的車，哥哥只給放了幾個鞭炮，你就被嚇成這樣！在你還沒有被我折磨死之前，繼續來追我啊！」

他想用自己引開這殭屍的注意力，讓長風離開。

但是，他突然愣然了，聲音在他喉嚨裡被活活地嚥下去。

這長風居然在那殭屍跳起的時候，人就像燕子一樣，憑空躍起了五米多，兩腿連環地踢在這殭屍的腹部上，把這殭屍活活地踢了下來。

這是什麼功夫？大石頭搖了搖頭，又咬了咬牙，確定不是在做夢，天！這長風到底是什麼人，居然能這樣凌空而起！

大石頭就像一個木頭一樣，傻住了。

完顏長風的每一個動作，都讓他愕然。

而這個時候，完顏長風居然還能微笑，沒看錯，是在微笑。

這絕對不是人能做的，居然在這麼短的距離躍起，就像凌空騰空一樣，升高了五米多高，他的兩腿在空中沒有任何著力點的情況下，連續踢出了二十一腳，每一腳都把這殭屍踢得往後倒退一分，就像是踏浪一樣，一腳一腳地踩在它身上。

長風的手不停地擺動，每出一腿，手的擺動方向都換了好幾下，這不顯眼的動作，在經過訓練的人的眼裡，卻是這麼的完美。大石頭知道，他是靠著這手的擺動來保持自己身體的平衡，這幾乎是渾然天成，無懈可擊。

二十一腿，把這殭屍從上空踢了下來，收腳之後，長風就像童子拜佛一樣，右手捏了一個手印，遙遙打在了那殭屍的額頭上。

一連串動作不到十秒鐘的工夫，但是這十秒鐘，讓大石頭看得大汗淋漓，震撼不已，等他回過神來的時候，長風已經負手站在地面上了。

那一身紅毛的殭屍被踢下來之後，低吼著打量著這個人，似乎嗅到了一股不同尋常的味道，讓它感覺到這個人不簡單。

長風對著後面的大石頭叫道：「這是紅毛殭屍！你快走！」

大石頭身子微微一顫。他被長風這身手給嚇著了，聽到長風這麼一喝，幾乎想也沒想，用軍人的第一反應回道：「讓我來！」

「你來？用你手上的破銅爛鐵？」長風冷笑了一聲，說道：「紫、白、綠、紅，以紅爲最，別說紅毛殭屍，就是紫毛殭屍，你那破鐵都傷它不得，殭屍號稱萬邪之王，修行的殭屍更是刀槍不入，它們都不是人間之物。這紅毛殭屍少說也有一千二百年以上的道行，你還不快走！」

「萬邪之王，乖乖！」大石頭心裡呼了一下，二話不說，跳上了車呼地一下，一陣灰煙，車子已經遠去。

長風臉色帶著笑容，打量著這紅毛殭屍，別看他臉上從容，心裡其實早就發毛了。這殭屍身上的一身布衣，已經破爛不堪，一大片都是燒過的痕跡。

這殭屍目不轉睛地看著長風，似乎對他有所顧忌，低沉地吼著。

長風也看著這殭屍，心裡做好了防禦的準備，長這麼大，這還是第一次遇到殭屍。對殭屍的瞭解，雖是一知半解，但多少也知道一點。

史書上記載殭屍的事件非常多，大都是屍體因爲不能及時下葬，經過月光的照射之後，變成了殭屍。這些都是屬於行屍走肉的殭屍，嗜血，殘暴，但是這些剛剛屍變的殭屍，只需要糯米、墨線、雞蛋就能對付。

至於成精的殭屍，出現的機率少之又少，史書上記載，宋朝時期的朱仙鎮，曾經出現了一批殭屍，其中就有白毛殭屍和紅毛殭屍，在元朝、明朝，也有過紫毛殭屍和白毛殭屍出現的記載。

而在清朝，出現最多的就是普通的殭屍，這些殭屍都穿著官服，一身大官員的打扮，而且數量非常多，但是有色的殭屍倒是非常少。

如今，在自己眼前的，居然是幾百年難得一見的紅毛殭屍。

一人一屍，就這麼相視而立。

這紅毛殭屍身上的紅毛稍微比汗毛長，而且稀疏，如果不是光線照射，根本看不出來長毛。紅毛下面，是一層蒼白裡透著青灰色的乾癟皮膚，這一層不起眼的皮膚，居然連子彈都打不進。

消瘦的臉上，長著一塊一塊的屍斑，深深的眼洞裡，兩股精光透著一股寒氣，而最讓人心寒的是，嘴唇被兩顆牙齒微微頂起。

這紅毛殭屍的頭髮居然很長，而且很凌亂，但是卻是異常黝黑，似乎很健康，黑得發亮的指甲比手指還長，兩指甲相碰之下，居然有「鏘鏘」的聲音。

長風好奇地往這殭屍的下身看了一眼，心裡琢磨著：殭屍有小ＪＪ嗎？

「吼！」「吼！」「吼！」

「吼！」最後一聲長長的吼叫聲，這殭屍嘴角微微抬起，一股寒氣從嘴角處冒了出來，兩顆血紅色的牙齒突然呈現了出來。它兩手一提，腳尖用力一頂，整個身子就這麼輕輕地抬了起來，帶起一陣風，戳向了長風。

雖然做了準備，但是被它這麼一弄，長風也被嚇著三分，冷汗在背後直冒。這畢竟是修行了千年的殭屍，就算是它的一個屁，也含有三分毒氣，雖然沒有人考證過殭屍會不會放屁。

單是那股氣勢，就足以把普通人的膽子給嚇破，而帶起的那股寒氣，三米之內就像進入了冰櫃裡面。要是大石頭能體會到這種感覺，一定會給祖宗拜祭幾天，謝他們保佑自己這麼幸運地沒被這殭屍纏上。

長風根本不敢跟它正面交手，提起了全身的精力，腳趾微微一動，就像螺旋一樣，閃開了這一擊。

一塊手指大小的布飄落在一旁，長風低頭看了一下自己的衣領，衣領處多了一個大洞，心裡顫抖了一下，多虧自己準備充分。

這殭屍身子一轉，伸直的兩手一伸一縮地朝長風攻來，黑得發亮的指甲就像十把利刃，劃出十道勁風，封住了長風的上下左右。

這勁風居然發出嗡鳴聲，速度非常快，快得肉眼幾乎看不到，長風覺得幾道勁力往自己胸口衝來，根本沒有時間讓他躲，他只有抬手的時間，便捏了一個印訣迎上這股勁風。

那殭屍的手還沒到，那股勁道已經凜然而來，順著那個勁道，長風使了一招太極裡面的順水推舟。

這一招看似渾圓天成，在印訣的作用下，把插向長風的兩條比鐵還冷、比鐵還硬、發出一股腥臭的殭屍手帶到了一邊，手與手相碰之下，閃出了一股火花。

長風心裡一涼，使出全身的力氣，顧不著面子，沿著地上就是一滾。

就差這半秒鐘的時間，在他滾出去的背後，五道光插在地面上，沒入地表，那指甲鋒利無比，「嗞嗞」的幾聲，插在地面上，又被抽了出來。

「般若波若蜜！」長風手撐住地面把身子挺了起來，手印一捏，嘴裡喃喃念上了般若蜜多心經，喝令道：「風雨雷電兵，替我破！」

全身就像一個動力源一樣，發出了一股凜厲的力量，衝向這殭屍。長風這一招，在應急之時，也用上了八成的功力。

這紅毛殭屍實在太厲害了，開始連踢二十一腳，還用了一個金剛印訣，居然沒有傷它毫髮，反而被它這兩下弄得狼狽不堪，要不是自己應變得快，身上說不定就留下了幾個大洞。

再下手的時候，長風絲毫不留情，用了最霸道的般若訣。

般若訣一出，長風就像是風源一樣，呼呼的風聲從四面八方而來，擰成了漫天長繩，不斷地打在那殭屍的身上。

那殭屍被打得連續退了五步，低吼了一聲之後，兩肩一聳，居然頂著這股勁道慢慢地向前走來。

「操，這他媽的什麼玩意兒！連般若訣都不怕！」長風看在眼裡，急在心裡，這般若訣是小密宗驅魔鎮邪秘訣，當年活佛就是用此訣把鬼王封在西藏布達拉宮以西三百里的一座山下。

這殭屍居然比鬼王還厲害，難怪稱爲萬邪之王。

長風不再大意，一下收回了印訣，嘴裡哈哈笑道：「接我如來神掌！」那笑聲笑得非常的狂傲，讓那殭屍奇怪地停住了腳步，好奇地看著這個人。

長風兩手一收，大叫：「如來神掌！」

呼的一聲，掌沒打出來，轉眼間人已經跑到十米開外。

三十六計，走為上。

紅毛殭屍看到這人居然逃走，怒吼了一聲，隨之蹦起僵硬的腳追了上去。

長風只覺得背後緊湊的腳步聲越來越近，回頭一看，乖乖，這殭屍一跳就是差不多十米，而且速度非常快，明明把它拋在幾十米開外了，轉眼它就追到背後。

「呯！呯！呯！」

「天地無極，乾坤借法！日月齊光！」長風一邊跑一邊在手上畫了一道符咒，反手就往身後打去。

他是集道家和佛家於一身的怪人，打出的這個符咒，是道家的斬妖符，鍾馗獨創的得意之作。

一道火符從手裡幻了出來，化成一個太極圖，散發出道道金光。那紅毛殭屍被一種無形的力量纏住，居然跳不過來。

它仰天狂嗥了之後，眼睛裡射出一道紅色的光，那太極圖被這光線一射，轟然一下，化成了灰燼。

「昊天正氣！」「劍歸無極！」……

長風不斷地打出他所能想到、所能用到的符咒，這一道一道的符咒在他的念力下，產生了相應的效果。雖然這些符咒沒能對殭屍起實質性的作用，但是卻足足阻止了它半分鐘。

半分鐘，長風用盡了全力，使出「凌虛步」，逃出幾百米外。

這一晚的折騰，早把他弄得筋疲力盡了，這下使出「凌虛步」沒跑多遠，就已經覺得心浮氣躁，急忙停了下來，改用十一路狂奔。

第107章

兄弟聯手(上)

紅毛殭屍咧開了血盆大嘴，露出兩顆尖尖的屍牙，又一次向長風撲來。長風見它撲來，只能舉起白玉玲瓏對著它。一個人影閃電一般從遠處撲來，抱著長風的身子在殭屍眼下躲過了這一劫，沿著地面滾了幾下。

長個包子樣，就別怕狗跟著。

惹上了殭屍，而且是千年殭屍，又怎麼能這麼輕易走脫呢？千年殭屍，豈是一般殭屍能比的？

雖然長風使詐，憑著「凌虛步」試圖逃走，但是始終逃不過殭屍的追蹤。它聞著長風的氣味，一路追隨了下來。長風竭盡全力地開著十一路車狂奔，上氣不接下氣跑了十多分鐘，以爲已經擺脫了這紅毛殭屍，正慶幸地坐在一大岩石上歇息，一種熟悉而又陌生的感覺，已經遠遠傳來。

「噔！噔！」的輕微震動聲就像一把錘子一樣，搥擊著長風的心，轉眼間，視線範圍內已經看到紅毛殭屍一跳一跳地蹦了過來。每一個跳躍的起落，都讓長風眼皮大跳，這紅毛殭屍幾千年來，沒出現過幾次，這下可好，自己真他媽的走運，遇到了這好事。

幸運之神降臨在自己身上了，要是能趁機逃脫，一定去買彩票！

想歸想，但是先要解決眼前的事情，這萬邪之王，般若訣、風雷令都不能傷它分毫，據說糯米可以治屍，但這個時候去哪裡找糯米？

最要命的是，現在自己赤手空拳的，先前爲了追那個神秘的女人雪兒，耗費了自己不少的精力。得，啥事都趕上了，真幸運，難道這次老天真要亡我？不過，話又說回來，活佛說我命很大，大得能剋死牛魔王，天知道是真的還是假的。

跑？已經沒必要再跑，之前跑了這麼遠，不照樣也被追上？與其跑，不如拼了，就不信它一點破綻也沒有！

拼！這是在腦海裡權衡厲害之後，最後的一個決定。

「神兵火急！急急如律令！勒！」洪亮的聲音，從聲帶裡衝了出來，這聲音就像是一口大鐘，聲浪震得嗡嗡作響。

長風咬破自己的食指，一滴鮮紅的血泛出燦爛的光，離開手指之後，化成了一個太極圖案。太極不停地旋轉，兩隻魚眼居然透出一股強烈的光。

太極生兩儀，兩儀生四象，四象生八卦，這滴血居然不斷地變化，不斷地擴散，從太極中心冒出一股很神秘的力量，附近的樹被這股力量震得落葉紛飛，煞是好看。

這就像是一個漁網，一個閃著八卦形狀的、用神秘光線織成的漁網，而網的對象，自然是一蹦一跳過來的紅毛殭屍。

「漁網」嗞嗞地冒著電光，飛向那紅毛殭屍。

紅毛殭屍沒有躲避，吐出寒氣，兩隻眼睛死死地盯著長風，這像漁網一樣的光線打過來的時候，它張開了嘴，對著前方噴出一口白色的寒氣。

「劈啪劈啪」的聲響，這寒氣跟光線相碰，就像鞭炮一樣響了起來，因爲寒氣的關係，這網像是被物體頂了起來一樣，但是這殭屍沒來得及往後噴，那網就籠罩在殭屍的身上。

「嗞嗞！嗞嗞！」青煙在屍身不斷地冒出來，這一下，雖然沒有重傷這殭屍，但是卻給它吃了不少苦頭。

「哈，原來你也怕痛！」長風大樂了一下，但看到這殭屍的臉色之時，笑容就凝結在那裡了。

這一下是把紅毛殭屍給打痛了，但也激起了它的凶性。

凶性一起，它那本來陰森恐怖的臉，變得更加讓人恐懼。蒼白帶青的膚色，在這一刻，居然變紅了。

不，準確地說，不是膚色變紅了，而是在短短的時間內，從皮膚裡長出了一層紅毛——紅得讓人不寒而慄、頭皮發麻的毛。

就像是披上了一層盔甲一樣，兩道光從它眼裡噴了出來，把那層網給破了，而且這兩道光餘威不減，向長風衝過來。

長風眉頭一皺，凝神而立，手上不停地捏了九個手印，大喝道：「臨、兵、鬥、者、皆、陣、列、在、前！破！」

這奧義九字切，又稱九字真言，是密宗最神秘的心訣，一共九個字，每一個字都表示著深奧的含義，能領悟其中的含義，就能開啟宇宙中最神秘的力量，讓自己支配。長風不敢說自己領悟了，但是起碼已經登上大殿之門，雖然淺薄，但是這十幾年來，這點淺薄的領悟讓他受益匪淺。

「破」字隨口一出，迎上那兩股射來的光。

「轟！」

如霹靂一樣的響聲在他們倆中間想起，一股巨大的力量，就像水波一樣蕩漾開，力量一波一波地向外湧，把一人一屍震飛。

「呼！」「啪！」

長風摔在地上，跟大地來了個最親密的一吻。「噗」的一聲，灰塵被長風的身體給拍得四散。

只覺得胸口一悶，一股東西塞在胸口處，十分難受，心跳急促地加速，長風握緊拳頭，對著自己的胸部猛捶了一下。

喉嚨咕嚕的一聲，嘴巴一甜，一股鮮血噴了出來。這鮮血噴出來之後，胸部瘀塞頓開，舒暢了許多。

沒想到這紅毛殭屍的力量居然這麼大，以前古晶跟自己說，遇到殭屍，千萬不要逞強，自己當時還不信，如今相信，卻來不及了。

那殭屍被震飛之後，倒在地上，剎那間，身子騰的一下又彈了起來，伸出雙臂，跳躍了兩下之後，凌空往下，以那長長的指甲為武器，戳向地上的長風。

長風此時已經差不多到了脫力的狀態，見到它衝了下來，想抬起手來抵抗，但是自己的身子虛弱得就像不是自己的一樣，抬起手的時候，有若千斤一般困難。身子要是被那兩根鐵棒一樣硬的手臂戳進去，必死無疑，但是偏偏又沒力氣。

他不得不用力地咬了一下舌尖，用舌頭的刺痛來刺激自己的精神，使得自己在短暫的時間內提高能力。

當門牙幾乎把舌尖給咬透的時候，嘴裡的神經以最快的速度刺激著整個身體，這陣劇痛把所有的痛楚都掩蓋了過去。

長風眼睛一睜，瞬間精神大振，把自己所有的精力都集中在一起，提高最大的念力，用念力喃喃地在腦海裡念起了法咒。

這殭屍的指甲已經到了長風的胸部，長風聽到「嗞」的一聲，衣服被指甲穿透的聲音，就在與皮膚接觸的那一刻，他毅然出手。

這一次，他的速度快如閃電，連自己也不知道有多快。

總之，他的兩手已經死死地扣在了這殭屍冰涼的手腕上，用盡力量往上舉。要是再晚半秒鐘，不，是萬分之一秒，就會被那指甲刺破皮膚。

那殭屍的手腕就像千鈞之力，讓自己手臂在接觸的瞬間酸痛無比，但是他不能放，不只不能放，還要在短短的一分鐘內讓自己從虎口中逃生。

因爲咬破舌尖的方法，只能有一分鐘左右時間讓自己的精神力量得到提升，超過這個時限，自己就會全身乏力，到時候，這殭屍就算去一趟廁所回來，再生火烤一隻野兔，用完美餐再收拾自己，都綽綽有餘。

紅毛殭屍的身子就倒立在空中，而長風，躺在地上咬著牙反扣住殭屍的手腕，用力地往上挺，別說逃走了，能這麼挺住半分鐘，就已經是極限了。

十秒，十一秒，十二秒……每一秒，都是這麼的漫長，每一秒，都讓長風的細胞深深緊縮，漸漸地，他瞳孔的擴縮頻率越來越快，漸漸不能支持。

他感覺到自己的手臂已經麻木了，額頭早就佈滿了虛汗。

先是左手最早脫力，手指一鬆，甩在了一邊，那殭屍的利爪勢插地進入了琵琶骨，一股鮮血從指尖處噴了出來，灑在胸膛處。

長風心裡歎了一句，完了。

他知道自己支撐不下去了，乾脆死得迅速一點，正想把右手也放棄了，突然一股白色的光芒從他胸口照射出來，這光芒讓那紅毛殭屍嗥叫了一聲，急忙飛快地躲到了一邊去。

這是一顆白色的珠子，圓潤而富有光澤，上面沾有一片紅色的血跡。

是「白玉玲瓏」！長風把在乞丐那裡得到的寶物，收在了自己的上衣口袋，沒想到被殭屍所傷而濺出的血，居然把這白玉玲瓏的力量引發了。有因必有果，要不是長風心存慈悲，在泗水村超度那些亡靈，把聚集六十多年的怨氣給驅盡，要不是他好心，給那乞丐重新安葬，此刻又怎麼會有白玉玲瓏來護身呢？

白玉玲瓏散發出的光潤非常有限，那紅毛殭屍躲避之後，發現了這個秘密，咧開了血盆大嘴，露出兩顆尖尖的屍牙，又一次向長風撲來。

長風見它撲來，只能舉起白玉玲瓏對著它。

殭屍快，有人比它還快！

一個人影閃電一般從遠處撲來，抱著長風的身子在殭屍眼下躲過了這一劫，沿著地面滾了幾下。

「長風，幸好你沒事！」

「任天行！」長風愕然了一下，來人居然是任天行。

那殭屍一下落空之後，一轉身，又撲向了他們兩人。

長風臉色一變，任天行雖然身手了得，但是殭屍畢竟不是人力所能解決，根本不能與之抗衡，急忙喝道：「小心，它是紅毛殭屍！」

一聽到紅毛殭屍，任天行臉色也變了，之前遇到的紫毛殭屍、白毛殭屍都差點讓自己喪命，就連古晶這樣的高人都受到重創，如今遇到這四類殭屍裡面最厲害的紅毛殭屍，這下可真走運。

第108章

兄弟聯手(下)

被九字真言最無上的玄功所擊，紅毛殭屍仰天慘叫了一聲，任天行趕到它身邊的時候，兩手左右開弓，照著它的太陽穴猛攻擊。腦袋轟的一下碎裂開！一種絢麗的光從紅毛殭屍身上發出，散向四方。

任天行掏出了腰間的那把槍，嘴裡喝了一聲：「嘰咕！」一股陰寒之力從裡面傳了出來，嘰咕那錐形的腦袋，駕馭著這寒氣，一下撲向了那紅毛殭屍。

長風心裡震撼，這嘰咕怎麼變成這般厲害，難道它能在如此短的時間內，消化了噬魂的力量？

嘰咕哇哇大叫，「嘰咕嘰咕」的聲音從它嘴巴裡不斷地吐出來，似乎在咒罵那紅毛殭屍，隨即像精靈一樣，纏住那紅毛殭屍。

那紅毛殭屍張開它的大嘴，不斷地咬向嘰咕，只是每次都落空，最後憤怒地抬起自己的雙手，不停地揮舞。

「吼！」

紅毛殭屍咧嘴大吼了一聲，嘰咕白眼一瞪，飄到這紅毛殭屍的面前，也咧開了它的小嘴對著殭屍大吼，兩顆金燦燦的小牙露了出來。

紅毛殭屍身子一愣，似乎被這金牙給嚇了一下，但是畢竟是千年的殭屍，並非等閒，眼睛露出一股很妖異的光。這股妖光露出之後，嘰咕臉色大變，收起了那副玩世不恭的神態。

長風乘機休息了一下，有這時間休息，雖然沒有完全復原，但是已經不再處於脫力的狀態。

「天行，別硬拼，快走！」

任天行兩眼盯著紅毛殭屍，根本沒聽到長風在說什麼。

長風仔細一看，糟糕，這任天行跟這嘰咕是心靈相通的，讓他餵養嘰咕，就是要他們能相互溝通；嘰咕現在正跟那殭屍鬥，任天行也受到了影響。

紅毛殭屍果然不愧爲千年殭屍，連完顏長風都對它無可奈何，只有逃的份兒，嘰咕雖然厲害，收服了噬魂之後力量更加強大，更加怪異，但是靈體始終是靈體。變異了的嘰咕，在紅毛殭屍面前，顯得弱了一籌。殭屍，畢竟是萬邪之王，能稱爲萬邪之王，自然有道理。

紅毛殭屍邪邪地張開口笑，那低沉而妖異的笑聲，讓人心裡發毛。它似乎天生是嘰咕的剋星，逐漸的，嘰咕臉上慢慢地露出驚駭的面容。

長風看出了這一點，連忙喝道：「嘰咕，還不快回來！」

但是嘰咕根本回不來，它那錐形的頭顱，居然逐漸變形，要是讓這紅毛殭屍把嘰咕給收去了，這天下，就再也沒有人能收服得了它。

這嘰咕就像是這紅毛殭屍的美味晚餐，又或者是靈丹妙藥一樣，讓它饞涎不已。

任天行的臉色，也跟隨著嘰咕的臉色而變，時而痛苦，時而難受。

長風立即用拇指掐破了自己的食指，用精血在自己的手心上畫了一個符咒。然後用盡全身的力量，猛地往那紅毛殭屍一撲，手心上的符咒對著那殭屍用力一打。

這是道家的伏魔一絕，叫掌心雷。掌心雷是最實用的咒語，一掌打在紅毛殭屍的身上，雖然不是重擊，卻讓它痛得哇哇大叫。紅毛殭屍精神一分散，嘰咕呼地一下，鬆弛開了，任天行身子一顫，也清醒了過來，但是長風卻被紅毛殭屍給抓住。

一股寒氣，落在長風的脖子上，紅毛殭屍張開兩顆尖尖的牙齒，往他的脖子大動脈處咬下。

任天行二話不說，撲了上去之後，用手勒住紅毛殭屍的脖子，使出全力不讓它的嘴咬在長風的脖子上。

由於被任天行從背後這麼一勒，這殭屍的雙手不禁加大了力量，一個拼命地向下咬，一個死命地向後勒。

「咔嚓！」骨頭關節的聲音響起，長風的身子動彈不得，被這殭屍的兩隻鋼爪給抱住，這鋼爪的力量居然越來越大，把他給捏得全身骨頭作響。

長風此時居然還能開玩笑，訕笑道：「爽，這比馬殺雞還正點！」說話間，他臉色越來越差。

「長……風，你個王……王八……蛋，這個時候你還，還說……這些，還不快想辦……辦法……法！」當任天行看到長風蒼白的臉色，心裡一沉，用盡了全力，挺著這殭屍的下巴。

嘰咕呼地一下過來，一股無形的力量，拉住紅毛殭屍兩條僵硬的手臂，這一下，雖然沒能把手給拉開，但是明顯抵消了很大一部分力量，長風也好受了許多。

長風稍微能動了，用手把上衣口袋的那個白玉玲瓏拉了出來，含著一口血對著玉玲瓏一噴，血沾在珠子上，就像催化劑一樣，珠子散發出一股溫和的光。

長風緊緊地握住了這玉玲瓏，依靠這玉玲瓏的力量聚集自身的精力。

「任天行！」

「長風！」

兩聲嬌聲焦急地從遠處傳來，車子越來越近，來人正是王婷婷和悅月，開車的是大石頭。

長風知道是她們，不禁叫道：「別過來！」可是聲音在喉結裡打轉，模糊不清。

「撲！」「撲！」「撲！」

連續三聲濤響，閃出了一片耀眼的紫光，充斥在周圍的每個角落。這是悅月扔出的「烈日」。

紅毛殭屍被這紫光一照，急忙鬆了手，用手擋住紫色光線。長風身子一鬆，急忙順勢滾到一邊。紅毛殭屍眼睛被這光線一照，眼眶流出了兩道黑色的液體，發出陣陣臭老鼠味。

「長風，你怎麼樣！」王婷婷奔向長風，絲毫不懼那紅毛殭屍，這一下讓所有人都驚呆了。

更讓人驚呆的是，這丫頭氣憤紅毛殭屍居然傷了長風，路過它身邊的時候，居然一個騰空踢腿，一腿踢在那殭屍的臉頰上，身子著地的時候，再往這殭屍的下檔踢了一腿，把這殭屍踢得後退了一步。

送了兩腿給這殭屍之後，王婷婷不再理會它，把一旁的長風給扶了起來。

剛剛彎腰，她就感覺到背後陰森森的風吹來。

長風見那紅毛殭屍攻擊王婷婷，臉色大駭，一把推開她，身子躍起，手上的掌心雷一下印在這殭屍的額頭上。

這殭屍慘叫了一聲，但是卻不後退，反而把它的利爪戳向了來人。

長風只覺得自己身子一震，臀部處濕漉漉的，發出一股暖和的熱，手指長的指甲和手指一下戳進了臀部的肉裡，一股鮮血頓時冒了出來。

「長風！」王婷婷明白過來是怎麼回事，自己心儀的男人，居然用他的身體保護了自己，心裡一陣感動，看到長風受傷，一股殺氣從她身上騰騰地冒了出來。

這個時候的她，就像是一個女煞神，別說是殭屍，就算是佛祖她都敢拼命。她的腿再次踢出，畫了一個完美的弧線，帶著破風之聲，踢在殭屍的膝蓋上。這一下的威力，就算是踢石板都能踢斷，但是紅毛殭屍的腿就像是鐵板一樣，紋絲不動。

連續踢了兩腿，不見效果，她居然含著淚，舞起粉拳打在殭屍的臉頰上。這紅毛殭屍一甩手，把長風當成武器，甩向王婷婷。

長風冷哼了一聲，撞在王婷婷身上，兩個人抱在一起翻滾了許久。

長風身上的血腥味，散發在四周，讓紅毛殭屍更顯得瘋狂。但是它沒想到，還有比它更瘋狂的，就是他背後的任天行。

任天行眼睛發紅，他自從下了直升機之後，看到了滿地士兵破爛不堪的屍體，一共十六具屍體，幾乎是犧牲了半個小分隊。

當他看到大石頭匆忙地開車狂奔而來，知道長風一個人對付那紅毛殭屍，不禁臉色大變，連想都沒想，邁開腳步就狂奔。

大石頭還在發愣的時候，悅月和王婷婷上了大石頭的車，三個人開車追來。讓她們意外的是，車子的速度居然比不了任天行的雙腳。

如今，任天行想到了死去的那些戰士，心裡一股怒火升起，眼看著兩位好友又再次受傷，再加上血腥味的刺激，讓他的拳頭緊緊地握住。

任天行眼睛轉眼間變成了赤紅色，冷冷地看著這紅毛殭屍，微微地張開了嘴，兩顆金燦燦的牙齒在嘴裡生光。

「呼！」一聲撞擊聲，任天行居然從後面，一拳把那紅毛殭屍給打飛到一邊。

這紅毛殭屍似乎不敢相信轉頭看著任天行的時候，看到了任天行嘴裡的那兩顆金色的牙，臉上居然露出了懼意。

悅月和大石頭幾乎不敢相信這是他們認識的任天行，幸好他們站在任天行的後面，又因為月色的原因，沒有看到任天行的那兩顆牙齒。不過，他們感覺到任天行的憤怒，那種怒氣就像火一樣，把他整個人都燃燒了。

悅月掏出她的手槍，對著紅毛殭屍一下就是兩槍，只是射出的特製子彈根本打不進這殭屍的身體，只在外面碎裂，但一點效果都沒有。

大石頭罵道：「這破玩意兒連火箭炮都打不進，真他媽邪門。」

那殭屍被打倒之後，立即又彈了起來，吼叫著向任天行撲來。

又是一拳，任天行根本不躲避，他的目標只有一個，就是用他手上的拳頭打在那紅毛殭屍上，面對紅毛殭屍的攻擊，他視若無睹。

那殭屍用鋼爪一劃，一條深深的血跡從任天行胸部透了出來，但是，任天行一拳打在紅毛殭屍的眼睛上。

「噗哧」的一下，眼珠爆裂開，一股白色的眼漿沿著眼洞流了出來，這一下，讓那紅毛殭屍慘叫不已。

這殭屍受創，看到任天行嘴裡的兩顆牙齒，轉身逃走。

長風全身是傷，爬起來了之後，見到王婷婷暈厥過去，背後一大片血跡，那是她剛剛手術之後的傷口，如今再次裂開。

長風心裡刺痛，對著任天行喝道：「別讓它走了！」帶著痛，長風捏了一個手印，一邊捏手印一邊咬破舌尖，血從他嘴角流了出來。

他心裡默念了一遍「金剛薩埵心咒」，不動明王印隨著他的意識而起了效果，讓他感覺不再那麼疲倦。

「臨兵鬥者皆陣列在前！破！」從不動明王印一直捏到寶瓶印，長風眼睛一亮，對著那殭屍就是一擊，這一擊是長風動了真火的，看著王婷婷身上的傷，他不惜違背了活佛的話，動用了自己暗藏的實力。

被這九字真言最無上的玄功所擊，紅毛殭屍仰天慘叫了一聲，任天行用幾乎飛的速度，趕到它身邊的時候，兩手左右開弓，照著它的太陽穴猛攻擊。

腦袋轟的一下碎裂開！一種絢麗的光從紅毛殭屍身上發出，散向四方。嘰咕在槍裡歡呼地叫了一聲。這是紅毛殭屍修行多年的天地靈氣，如今一散，這殭屍的屍骸，只剩下了一堆白骨。

第 109 章

落雪無痕

楊落雪手臂一甩，呼呼的風聲朝著任天行和長風捲了過來。那怪異的風接觸臉龐的時候，變成了一層冰冷的霜，暴露在空氣中的皮膚，上面瞬間結成了一層冰。

在場的所有人都震駭了，他們面面相覷，雖不言語，但是此刻，他們所有人的表情都已經表達了他們的心情。

上千年氣數的紅毛殭屍，在長風和任天行兩人聯手下，變成了一堆白骨。他們兩人的聯手，比榴彈槍、火箭炮等這些熱武器更加有效。

在這種高科技時代，在這種崇尚熱武器的時代，如果沒有親眼看到，又有誰敢相信呢？

這個世界上充滿了各種各樣的神秘力量，西方的巫師、驅魔人，東方的道士、法師，他們都各自掌握著開啓這種力量的方式。

國際上最神秘的SUPER組織，就是專門研究這方面的組織，具有上百年的研究歷史，但是，到現在爲止，他們仍然沒有破解這些力量的開啓方式。

第二次世界大戰後，人類的某種精神文明逐漸消逝，西方的驅魔人、巫師已經式微，只是略懂皮毛，南洋的邪術則源自於中國的雲南苗疆一帶。

因此，對這種力量的開啓方式，最全面的，就在中國。

但是，單憑SUPER組織這樣一個研究機構，就想破解中華上下五千年的道家、佛家最精髓的秘密，無疑是癡人說夢。單是各個民族的正規語言，就足以讓這些洋佬學上一輩子，更別提一些民族自有的各種語言、衍生方言等。

這種力量，不是常人能接受的。這種力量，被他們稱爲「異力量」。擁有這類力量的人和能支配、控制這種力量的人，被統稱爲「第五種人」。

悅月作爲SUPER的一個隊員，早就接受了異力量的存在，也無數次接觸過這類人，但是第一次遇到長風，他身上的那種力量，讓她有了新的認識，讓她震撼不已。

悅月心裡升起了一股奇異的感覺，她從任天行身上看到了一種只有真正男人才有的氣魄，就像關雲長當年一個人單槍匹馬直闖千軍的那種膽色。

這種氣魄，讓她芳心怦怦亂跳，臉頰發紅。長風溫文爾雅，瀟灑自如，卻又充滿了神秘，這樣的人遙不可及。但是任天行不一樣，他是一個狂者，一個全身充滿了力量，隨時隨地都讓人沸騰的男人。

這種男人，是實實在在的男人，而悅月，也是一個實實在在的女人。

而王婷婷，這個瘋丫頭式的人物，自小她家的人就透過各種關係，請了一些高人，教她習武。她父親是一個藥業公司總裁，她二叔是公安廳的頭兒，憑這兩個人的名頭、職業以及爲社會做出的貢獻，那些高人才會傳授武藝給她。

她的一身膽色和身手，在這些高人十幾年鍛鍊下，早就擠入了當今一流身手的地位。在新加坡留學的時候，因為看不慣日本人在當地對華人的歧視，一個人在一天之內踢了七個跆拳道道館、四個空手道道館。

具有如此身手、如此膽色的她，居然在一個深夜裡完全改觀了。她發現，她的身手在一些神秘的東西面前毫無用處。

因此，她纏上了長風，她是個好強、好勝的人，她發現，長風是這些東西的剋星。所以，她想學，想挖掘這些神秘的事情，想知道長風是什麼人。

漸漸的，她發現，她沒有挖掘出長風的秘密，卻挖掘出了這個男人的魅力，那種玩世不恭卻又正直無私、大義凜然的魅力，那種帶有神秘色彩的魅力。

王婷婷是個瘋丫頭，所以她不會考慮是否遙不可及，只要認定了的事情，她就不會改變，這就是為什麼大家叫她瘋丫頭的原因。

紅毛殭屍變成白骨，看起來是任天行和長風兩個人的聯手，但是悅月和王婷婷認為，能制伏這個紅毛殭屍，最大的關鍵一定在於長風。

大石頭也是，當他看到長風用不可思議的方式對付這殭屍，就知道這個人非常不簡單，但是，他對任天行更加欽佩。

刀鋒組織雖然是神秘的武裝組織，是特種部隊的秘密武器，但畢竟還是軍人。

任天行作爲這個組織的頭兒，不管是領導魅力還是身手，都是首屈一指。

紅毛殭屍在熱武器轟炸下不傷分毫，他居然敢憑著一己之力跟殭屍對決，這份膽色，足以讓他驕傲。

這就是他的老大，這就是刀鋒的頭兒，一個軍警兩界的傳奇性人物。

可是，長風心裡卻震撼無比，因爲任天行。

從他來到湘西，他就知道任天行一定遇到了一些不尋常的事情。因爲任天行原本的陽剛之氣，變成了一種陰柔之氣，這種轉變，不是一般人能看得出來的。這種陰柔之氣，非同一般，它是純陰之中的霸者。

就連他用自己精血餵養的嘰咕，也變得異常強大，大得超乎想像。長風心裡做了一個比喻，如果此時要收服嘰咕，就算他和古晶聯手，也不一定能收服得了。但是嘰咕變得這麼強大，任天行依然能駕馭它。

這個千年殭屍，普通的道法對它根本沒有用，道家的驅魔道法、風雷地動令、掌心雷，都像給它搔癢癢一樣，而以無上佛家真訣的六字大明咒、密宗的般若咒，甚至是九字真言咒，都對它無可奈何。

任天行卻能憑著他的拳腳，一拳把它給打飛。能把熱兵器都無可奈何的紅毛殭屍打得嗷嗷叫，這絕對不是人能做到的。

不是人，是什麼？

在任天行出的每一拳中，長風甚至感受到了來自大地的陰柔之力匯聚在他的身上，他的兩顆金牙，綻放著異樣的光彩。

長風上下打量著任天行，試圖去讀懂這一切。

任天行緩緩地轉過身來的時候，臉上帶著一股得意之色，這股得意之色的掩飾下，卻有著一分迷惘。

與長風眼光相遇，任天行心裡顫抖了一下，這是一股幾乎能看穿人內心的力量，他心裡湧起了一股膽怯，這種心情就像潮起潮落一樣，來得快，去得也快。是啊，我怕什麼？他對自己問了一句。

能解釋這一切的，就只有眼前的完顏長風，如果他真能看出什麼，豈不是解了自己多時的疑惑？

這兩個男人，遙遙相視，讓身邊的兩個女人目瞪口呆，她們無法想像，男人跟男人居然也能相視得這麼久。

「是你們把它給殺了？」一個女人冷漠的聲音打破了這種氣氛。

沒有人知道她是什麼時候來的，連腳步聲都沒有，對於她的到來，除了驚訝，更多的是震撼。

任天行臉色驚喜，叫道：「雪兒！」

看到來人並非是救過她的雪兒，任天行臉色漸漸地沉了下來，問道：「妳不是雪兒，妳是誰？」

這女的跟雪兒的裝束幾乎一樣，全身的白色，這種衣服裝束非常怪異，像是大袍裹住了嬌軀，然後在身上披上了一件白色的披風，腰上和肩膀纏著一條長長的綢帶。如果不是這個時候遇到她，還真以爲是有人在這裡拍古裝片。

這女的一臉的冷冰冰，繼續問道：「是不是你們殺了它？」

大石頭右手悄悄地放在腰部的手槍那裡，他知道這個人不簡單，憑著自己多年的經驗，居然不知道有人來到身邊，他擋在悅月和王婷婷的前面：「你們先走！」

「小心！」悅月低聲地囑咐了一下。這王婷婷身上有傷，可不能馬虎。王婷婷極端不願意走，不過她卻不想因爲自己的傷拖累眾人，深情地看了長風一眼，輕聲地說：「你們小心。」

「楊落雪！」長風失聲地驚呼了起來，心裡怦怦地跳，再次遇到楊落雪，心裡那種很熟悉的感覺又升了起來。

楊落雪秀目透出一股光，落在長風的身上，問道：「是你們殺了它？」

「沒錯！」任天行應了一聲，心裡呼道：原來她叫楊落雪，她跟長風認識，只不知她跟那雪兒有什麼關係。

楊落雪臉上露出一副不可置信的樣子，這是千年殭屍，沉睡在地下上千年，根本不可能有人能殺死他。

但是看到長風一身血跡，而他身邊的這個男人一臉剛毅，不像是說謊。

「就憑你們倆，能對付上千年的不死殭屍？哈哈哈！」鈴聲般的笑聲張狂地響起，帶有一種不屑和鄙夷，像是在諷刺任天行和長風他們說大話。

「哈哈哈！不就一個千年殭屍，有什麼大不了的？」任天行哈哈大笑。

楊落雪臉色一冷，就像一塊冰一樣，冷冷道：「好，我就看看你們倆有什麼本事能制伏千年殭屍！哼。」

只見她手臂一甩，呼呼的風聲朝著任天行和長風捲了過來。她這一下，沒有任何預兆，風非但不大，而且非常柔和，包圍在他們倆的四周，但是這柔和的風一接觸他們倆，就變得異常奇怪。

那怪異的風接觸長風臉龐的時候，變成了一層冰冷的霜，暴露在空氣中的皮膚上面瞬間結成了一層冰。每一個細胞，每一個毛細血管，在這刻，都被凝結起來，就連空氣裡的水分，也發出寒意。

也就這一下，長風居然動不了，從頭到腳，變得僵硬無比，然後，他眼睛漸漸地模糊，眼膜上的水分結成了透明的冰，原本清晰的世界變得朦朦朧朧。這股冰冷的感覺在瞬間傳遍了全身，不到三秒的時間，他成了一個冰雕。

不只是他，任天行也一樣，就在任天行發現有問題的時候，剛抬腿想躲，人就凍在那裡了。

兩個冰雕，維妙維肖地站在那裡。

第110章

家族迷霧

兩人面面相覷，這楊落雪說的那句話，似乎另有深意。這句話在兩人心裡不停地徘徊，似乎有姓任的地方，理所當然就有姓完顏的。任家和完顏家，有什麼關係？而她說的老怪物又是誰？

楊落雪不齒地冷笑：「就憑你們這三腳貓的功夫，也能制伏殭屍，大言不慚。」

長風全身僵硬，只感到冰氣不斷侵入自己的心臟，這個時候，胸口的那顆玉玲瓏忽然起了作用，一股暖流衝進了心房。

「咯吱！」清脆的一聲響，穿入楊落雪的耳裡，讓她大吃一驚。

冰塊破裂的聲音不斷傳來，幾乎是在同一時刻，長風和任天行突破冰雕的限制，從中躍出。

任天行緊緊地握住拳頭，全身發出一股讓人窒息的味道。

「果然有點門道，看看你們有多大本事！」楊落雪不怒反而變得喜悅，似乎這就是她想看到的。

她手如蘭花，隨手一彈，「颼颼」的兩聲，兩顆亮晶晶的東西帶著如龍吟一般的聲音飛疾而來。

「任天行，小心！」長風驚駭無比，這個叫楊落雪的居然能隨意把空氣中的水分瞬間擰成一顆冰，用來做暗器。

他腳尖一點，整個身子都凌空浮了起來，躲過了打向他的這一擊，等他落下之後，一股如巨浪一樣的力道已經湧到自己身上。

長風喉嚨咕嚕一響，只覺得自己像掉進了漩渦一樣，昏眩無比，之後心裡一虛，整個身子被甩到五十多米外的地方。

任天行更慘，他用近乎閃電的速度，躲開那顆冰塊，只是後面的那股力道，卻無聲無息地到了自己身上，把自己甩得更遠。

「不錯，有點意思！只可惜你們這點能耐，還不夠。」楊落雪輕輕一笑，冰冷的面容居然在這一笑之下，顯得更加嫵媚。

「再來！」她嬌叫了一聲，手臂一橫，身上的一條綢帶如靈蛇一般飛疾而去。

長風和任天行兩人相視地點了一下頭，知道她沒有惡意，不然兩人早在開始的時候就已經橫屍現場了。

她就像把任天行和長風當成取樂的工具一般，這一下讓他們倆極為惱怒。

長風對任天行做了一個暗示之後，兩人幾乎同時出手。

「般若波羅蜜！賜！」長風喝令了一聲，一個印訣已經捏在手上，對著飛來的綢帶遙遙打去，而任天行，掏出了那把槍，對著她扣動了扳機。

槍裡射出了一股幽幽的藍光，陰冷冷地擰成一道弧線，打向楊落雪。

綢帶婉轉而來，一上一下地飄動，忽然化成了兩段，一段迎上了長風的印訣，一段迎上了任天行射出的那股力量。

綢帶隱隱發出一股祥和的光，一種神秘的力量把長風的印訣給化得毫無蹤跡，任天行手上的槍微微一震，嘰咕驚訝的聲音從心底傳出。

那斷了的綢帶傲然地飛疾著，速度不快不慢，讓他們心裡沉重無比。長風嘴裡喃喃地念著咒語，手上不停地換著各種各樣的手印，只是每一個手印打出去，都像石沉大海一樣，這種怪事從來沒有遇到過。

漸漸的，那綢帶已經到了他們身邊，長風額頭佈滿了虛汗，他對這女人居然有一種恐慌。任天行也好不到哪裡去，嘰咕已經做出了反應，力量從小變大，但是這種力量對她沒有發揮一絲作用。

「嗞嗞！」兩聲，兩段綢緞在他們身前變長，急速地繞著他們，把他們纏起來。

長風心裡一閃，盤膝而坐，不再理會這條綢帶，集中了精神，把自己的念力提到最高，用無上的念力，念出了《靜心經》。

這種靜心經，是和尚最入門的經書，大致的意思是點化和尚，人世間萬事萬物猶如塵土，不可貪戀，不可癡迷，而六道、九戒的含義，盡在其中。說白了，就是讓一個人的精神，處於忘我的境界，沉醉在空靈之中。

長風能集道家和佛家所長，悟性相當高，各種咒法都對那女人不管用，他已經隱隱感覺到其中原因了。

這個原因，讓他恐慌，讓他激動，讓他大駭，因而毅然地盤膝靜坐。

說來也奇怪，他這麼一坐之後，身體裡有一種神秘的氣漸漸散開，衣服被那股氣頂得高高的，原本纏著他的那段綢帶，居然不能纏進分毫，隔空懸掛著。

任天行恰好相反，他一手抓住了那綢帶的一頭，眼睛赤紅，整個身子就像被燒起來一樣，只是他緊緊地閉著嘴，因爲他不想讓這女人看到自己的秘密。

綢帶的另一頭，被一個漂浮在空中的小傢伙給拉著，他瞪著大大的眼睛，用盡吃奶的力氣，和任天行把這綢帶扯成了一個長條。

嘰咕一張漲紅的小臉上，掛著兩滴汗水，汗水在夜色中，一閃一閃的，就像螢火蟲一樣。

「咦！回來！」楊落雪手輕微一收，兩段綢帶忽然間鬆弛了，化成了一條，回到楊落雪的身上。

有意無意地看著任天行身邊的那個嘰咕和那把槍，她問道：「你姓任？」

「我叫任天行！」任天行挺起胸膛，冷冷地報上了自己的大名，並上下打量著她，暗自警惕了一下，不知道她還有什麼鬼主意。

她點了點頭，嗯了一聲，然後向長風看去：「那麼，你就是姓完顏了？」

長風驚訝地抬頭，她怎麼也知道我姓完顏？之前遇到的那個雪兒，魅惑之術堪稱當世一絕，交手之後，她對長風的身世似乎非常的瞭解，而這個楊落雪，一口就道出他的姓氏。

楊落雪點了點頭，雖然長風沒有親口說，但是他的表情已經承認了。

「原來是這樣，你們又在一起了，哈哈，你們又在一起了！老怪物，老天懲罰你的時候到了！」楊落雪仰頭大笑，嘴裡喃喃不停地說。

長風和任天行一頭霧水，不知道她說這話是什麼意思，正想問她，她已經在百米開外。

「楊落雪！」長風追著她而去，而任天行在後面對著楊落雪吼道：「站住！」

任天行的速度非常快，身影就像閃電一樣，能趕得上長風的凌虛步。

在他們的視野裡，那楊落雪就像憑空消失了一樣，無影無蹤。一句話迴盪在山谷中：「我們還會再見面的。」

「長風，她是什麼人？」

「不知道！」長風搖了搖頭，自言自語地說，「她怎麼知道我複姓完顏？」

兩人面面相覷，這楊落雪說的那句話，似乎另有深意。

「那麼，你就是姓完顏了？」

這句話在兩人心裡不停地徘徊，似乎有姓任的地方，理所當然就有姓完顏的。

任家和完顏家，有什麼關係？

而她說的老怪物又是誰？

長風把自己在鳳凰山山頂上遇到楊落雪的事情，簡單地跟任天行說了一遍，又把遇到雪兒的事情也簡述了一遍。

任天行詫異的是，這個叫雪兒的女人，肯定就是從木牌裡出來的女人。這個木牌，怎麼會在縣醫院太平間的地下基地裡呢？而那些殭屍，又怎麼會聽她的指揮？

按照長風所說的，他找到殭屍的時候，這個女人似乎在指使殭屍做些什麼，而這三十四具殭屍甦醒的那天夜晚，看守玄陽寺的士兵們說，有一個白影閃過。

任天行眼睛一亮，終於想通了一件事，他嚴肅地說道：「這個雪兒，就是喚醒那些殭屍的元兇！還有老劉說，這個跟你有關係！」

長風接過任天行遞來的木牌，仔細一看，臉上充滿了驚訝之色，他把從小就帶在身上的木牌掏了出來，兩個木牌幾乎完全一樣。

木牌上面寫滿了梵文，棕紅色的木質發出一股淡淡的香味。

長風狐疑地看了看任天行，一臉不解，他怎麼會有這東西？

「這就是我們在九菊派基地裡面找到的，我的血染在上面之後，發生了一些奇怪的事情。」

當時任天行和黃風兩人在九菊派的秘密基地裡面，被殭屍所傷，鮮血染紅了那個木牌之後，一個白影從木牌裡面飄了出來，那個白影，就是雪兒。

後來，任天行和戰神雷滕第一次跟五行人交手，差點命喪於他們手下的時候，雪兒出現救了他們。

天已經濛濛亮了，這樣的天，居然下起了細雨。

一層濃霧，給湘西大地增添了幾分神秘的色彩，濃霧細雨中，依稀可以看到兩個健步的人影，沿著公路一步一步地走，他們似乎不在乎身上的那點雨水。

任天行把在湘西遇到的事情詳細地跟長風說了一遍。這一番話，足足花了他近兩個小時的時間。

種種看起來神秘而巧合的事情，任天行再從頭述說的時候，他們有了新的發現：太過巧合的事情，絕對不是巧合。

癩痢剛給任天行的消息，是第一手消息，就算是國際刑警組織得到的情報，也沒有癩痢剛的快、準。

任天行帶著黃風、大石頭來F縣，是一個高度機密，除了韋軍長之外，沒有任何人知道，而剛剛進入F縣，他們三個人就遇到來迎接他們的殷小菡，偏偏這個殷小菡又不是人……

F縣醫院的太平間裡內有乾坤，下面居然是九菊派的一個基地。

「你還記不記得在西安發現的那個奇怪的兵馬俑？基地下面有一個葫蘆，那個葫蘆跟那個奇怪的兵馬俑的葫蘆幾乎一模一樣。」任天行早料到這句話讓長風吃驚，可是他沒想到長風聽到之後，居然能這麼沉得住氣。

「天行，這裡面有問題，而且，這絕對是個棘手的問題。」

「我知道！」任天行緩緩地點了點頭，他明白長風這話的意思。如果說不是巧合，唯一能解釋的是，自己的行蹤早就暴露了。

有一股暗藏的力量，時時刻刻地在注視著自己，這股力量，從來都沒有顯露過，他們是這麼的高明。

這股力量很有可能跟韋軍長有關。如果自己要來F縣的消息是從韋軍長那邊洩露的，那這股力量實在太可怕了，因爲這股力量已經滲透了軍界。

他們有什麼目的？他們要做什麼？

根據他們對自己所做過的事情，很肯定，這股力量跟九菊派有非常密切的關係，甚至有可能是操控「活祭計劃」的關鍵人物。

第111章

F縣之遇

活祭計劃，是想製造超級武器，這絕對是本世紀最瘋狂的計劃。如果成功的話，這五行人就不會只有五個，那些倉庫一號、倉庫二號等，很有可能就是下一批五行人。

他們是誰？

任天行心裡不寒而慄，背後虛汗直冒，他在擔心韋軍長，這位帶大自己的養父，這股力量隱藏在韋軍長身邊，不是一時半刻的事情。

韋軍長，也正處在魔爪之下，隨時隨刻都會有生命危險。

長風略有所思，說道：「你放心，他們目前還不敢亂來。咱們這次要明修棧道暗渡陳倉。動作要比他們快，我倒是想看看，他們到底是何方神聖。」

長風的話，無疑就是他的定心丸，不知道從什麼時候開始，長風這個人居然成了他的一種依賴，甚至是精神寄託，任天行從來沒有懷疑過長風的話。

也許是因爲長風太神秘，讓自己第一次見到了世界上的另一面，讓自己接觸了科學也解釋不了的事情，更讓自己見識了各種靈異的事情，甚至是古中國最神秘的陣法。這些自幼認爲是傳說的古代文明遺產，一次一次應驗了。不過，有長風在，自己的自信幾乎是成倍的增長。

「有人在縣裡發現你之後，你在醫院裡昏迷了整整十五天。十五天，能做很多事情。而且，最讓你迷惑的是，你在昏迷之前，在義莊說話的那一男一女！」

「對，沒錯！這兩個人到底是誰？他們怎麼會來到義莊？而且，他們爲何不怕那五彩斑斕屍？」提到義莊的事情，任天行如今還頭皮發麻。

不知道是因爲清晨的涼氣還是因爲細雨的冷，又或者是腦海裡閃過那一幕幕驚悚鏡頭，任天行全身一抖，打了一個冷顫。

長風徐徐地說：「遇到了小菡，茶館的老闆，神秘的黑屋，三十四具殭屍，軍區的連長江國華，泗水村，義莊……」

任天行不明白長風把這些點出來有什麼作用，一臉狐疑地看著長風。

「你醒來之後，有沒有試著把所有的事情都連起來分析過？」

任天行點了點頭，這些事情，他都想過，看起來貌似毫不相干的事情，往往又有千絲萬縷的聯繫。

「要多費心，每一個步驟都要小心，調查一下趙隊長跟那個水行，看看他們的背景，也許一些不起眼的東西，就是關鍵所在。咱們先不能急，也不要亂，有些事情，時機一到，什麼都明白了。」

任天行對長風的這番話似懂非懂，細細地品味著，眼睛一亮，說道：「對，沒錯，說不定發生的事情現場，會有重要的線索，我要再回去現場看看。」

任天行提到泗水村，長風不禁想起了泗水村的那件事，簡單地跟任天行說了泗水村之遇。

這是六十多年前的一件怪事，任天行闖進泗水村的時候，看到有人半夜吃活雞，也經歷一連串不可思議的怪事。

他和金金追著五彩斑斕屍路過泗水村，發現的那些駭人的事件，至今仍疑雲重重。他想到了自己的事情，不禁臉色暗淡，沉默了許久。

「經過那場神秘的遭遇……我發現，我變了！」任天行幾乎用盡了自己所有的勇氣，說出了這句話。

「我知道！」

任天行知道自己在憤怒的時候，就會變成了另外一個人，一個嘴裡冒出兩顆金燦燦的牙齒的人，這牙齒，跟那些殭屍很相似。

他長長地歎了一口氣，自言自語地說道：「我還是不是我？」

「你認爲你會是什麼？」

任天行面色暗淡，他看著長風，吐出了一句話：「你告訴我，我是不是殭屍？」

長風目視著任天行，最後淡淡地說道：「所謂的人爭一口氣，是指人活著的時候，但是如果人死了，還要爭一口氣，那麼，就會變成殭屍。屍者，僵也！屍體因爲有一口氣，不管是怨氣、怒氣還是冤氣，總之，死後屍體一定不會腐化，經過屍變，就成了殭屍。」

長風有意無意地看著任天行，然後繼續說道：「由於關節硬化，殭屍的各關節彎曲的幅度不大，所以殭屍的行走方式，一般都是跳躍而行。殭屍，只能在夜晚活動，因爲它們怕陽光。它們嗜血，對血有一種很強烈的追求。這麼多，你有哪一點適合這些條件？」

任天行搖了搖頭，是啊，他就跟正常人一樣，一樣需要吃，一樣需要喝，一樣需要拉……他還能在陽光下曬太陽，唯一不同的是，他憤怒的時候，多了兩顆牙齒。

但是，他還是迷惘，因爲他發現，他真的與眾不同。每次受重傷的時候，都會瞬間就好。還有，他的能力似乎異常強大，他的速度，他的力量，這些能力全部都是憤怒所賜予的。

「但是，我……我的牙齒，還有……」

「只有你自己才能找出答案！其實我也很想知道你是怎麼變成這樣的！」長風拍了拍他肩膀，笑道，「別想得這麼糟糕，說不定因禍得福，有這樣的能力未嘗不是好事。龍牙的人，不都是這樣嗎？」

「嗯！」任天行緩緩地點了點頭，兩個人昂首挺胸，在雨中沿著大路往F縣去。

要想知道任天行爲什麼會擁有這種能力，只有一個辦法，就是一點一點地分析他的經過，從中找到突破點。

長風一點都不放過，每抓到一個疑點，就算不能馬上證實，心裡也會有點兒底。只是任天行說的經過，疑點實在太多了。

任天行一邊說，一邊回憶著自己的經過，從進入湘西，最奇怪的就是昏迷了十五天，這十五天裡面，到底發生了什麼事，誰也不知道。

自己無意中躲入中醫館的時候，老中醫曾經給他做過檢查，額頭處和心臟部位有四個針孔，而且背部的脊骨從脖子到腰部，都有針孔印，似乎被扎了很多針。這些孔都是被刻意掩飾了的，要不是老中醫經驗豐富，用放大鏡看，看出長出的肉跟其他地方的不一樣，肉眼一定看不出來。

說到這裡，任天行不禁打了個寒顫，他心裡有了一個很恐怖的看法，那就是，自己的身體，在那段時間裡被九菊派的人拿來做實驗。

活人實驗！

他臉色一青，想到在一個實驗基地裡看到那些被裝在液體罐裡的實驗品，滿身插著各種試管，自己難不成也是其中的一個？

這一點，讓完顏長風給直接否了。

「如果你是一個實驗品，一定是一個成功的實驗品，那也就代表著，會有更多的實驗品。九菊派視我們爲眼中釘，你認爲他們會這麼輕易讓你活著？」

這也就是說，這種可能性並不大，如果自己真的是實驗品，應該會有更多的實驗品，但是目前爲止還沒有遇到。

「如果咱們從醫院開始，也許會有意外的收穫，你身上的那些針孔，會得到解釋。」長風淡淡地說。

排除了這個，任天行和黃風在縣醫院的太平間發現了一個地下基地，這個基地是九菊派秘密建設的，在裡面發現了那個木牌之後，遇到了一個殭屍，而且他被那殭屍打成重傷，背後劃出了四道很長的口子，皮開肉裂，深可見骨。

「你是說，你被那殭屍抓傷？」

任天行說道：「當時傷得很重。」

「然後呢？」

「然後，我就去了中醫館，那個老中醫給我弄了幾下，傷就幾乎痊癒了，然後換了一身衣服。」

長風聽聞任天行所說，非常詫異，一臉驚訝，失聲說：「深可見骨的皮肉傷，給那中醫弄了幾下就幾乎痊癒？」

任天行點了點頭，如果按照常理來說，這一定不可能。

傷口雖然是皮肉傷，但是皮開肉裂，深可見骨，除非是靈丹妙藥，不然怎麼會這麼快能痊癒？而且這麼大的傷口，也不用縫針，這是什麼道理？

「你確定傷你的是殭屍？」

「對，是殭屍！絕對沒有看錯！」

兩人沉默了好久，最後跳過這一環，任天行又說了下一個事。

這件事關乎著王婷婷，他和王婷婷在追殺雙子他們的時候，有兩個五行人攔住了他們的去路。任天行說：「這些五行人非常厲害，我和雷滕兩人居然敵不過他們其中一個，這五行人，很有可能就是他們的成功實驗品。」

「雷滕？戰神雷滕？」

任天行沒想到長風居然也知道這個人，對他點了點頭。

「這些五行人估計是他們的成功實驗品，按照我們的估計，他們這個『活祭』

計劃，是想製造超級武器。」

「生化武器？」

「不，比生化武器更恐怖。」任天行沉沉地說，「如果每個軍人都跟五行人一樣……」

任天行只是簡單的這麼一句話，就讓長風臉色大變。

這是一個非常瘋狂的計劃，絕對是本世紀最瘋狂的計劃。如果一個軍隊，每個人都像五行人一樣，沒有感覺，不會痛，只會聽命行事，而且力大無比，再給他們匹配現代化裝備，這難道不是比生化武器更恐怖？

「他們還沒有成功！起碼，現在沒有成功！」長風果然是聰明人，綜合了最近發生的事情，他看出了關鍵的地方。

如果成功的話，這五行人就不會只有五個。也許，很多人裡面，只有一個成功了。那些倉庫一號、倉庫二號等，很有可能，就是下一批五行人。

「王丫頭受了重傷，就是因爲遇到了它們？」長風冷冷地說著，一絲怒色從眼睛裡閃過。

第112章

千年孽緣

一個頭髮披肩的小女孩從內堂探頭出來，瞪著兩隻大眼睛，長風也看著這小女孩，他有一種感覺，但是這種感覺模模糊糊的，忽然想起來，但是又記不起來，怪異至極。

任天行說起這件事情的時候，心裡一陣感激，這個王丫頭說起來還算是他的救命恩人，當時他差點死在那五行人的手下，是王丫頭不顧性命去救他，才會被人在背後偷襲。

「我們倆都受了重傷，我昏了過去，等我醒來的時候，就看到丫頭倒在一邊。然後……」任天行回憶起當時的情景，身臨其境，臉上顯得有點蒼白，當時王婷婷傷得十分重，幾乎是到了休克的狀態。

長風知道王婷婷之所以不死，是因爲遇到了古晶，如果沒有續命大法，估計王婷婷也撐不了這麼久。

「他們爲何不殺了你們？我不認爲是他們心慈手軟。除非……在你們昏迷之後，有人救了你們。你再仔細想想！」

任天行看了一下長風，徐徐地說道：「我似乎聽到了一絲的歎息聲！一個女人的歎息聲。」

一個女人，一個能在五行人的手下救走他們倆的女人！

兩人相視大悟，他們同時想到了兩個人，一個是雪兒，一個是楊落雪。

除了這兩個人，他們實在想不到，還有誰有這個能耐。

這三件事，是最有可能讓任天行變成這樣的原因。

但是，長風卻沒有找到確切的答案。任天行甚至把遇到德川之後，先被飛殭重傷，然後被拉下地底的事情也講了出來。

但是，這到底是夢境，還是真實存在的事，他自己並不是那麼確定，一切都顯得撲朔迷離。

「如果醫院是變化的原因，那你在基地遇到的那個殭屍，根本沒法傷到你。」

基地下面的那個殭屍，是一個穿著古代長袍的殭屍，只是一個普通的殭屍。一個普通殭屍都把任天行傷成那樣，說明在那之前，任天行還是一個正常人。

任天行被殭屍抓傷了之後，到了中醫館居然沒事，這讓長風非常驚訝，因此，他決定先去中醫館，探訪一下這個老中醫。

被殭屍所傷，必定在傷處感染屍毒，如果不能及時救治，屍毒會在三天內傳遍全身，讓人渾身僵硬，把人給同化，這是古書記載的。

這個老中醫到底是什麼人，能把任天行這麼重的傷治好？

「天行，你再想想，你跟丫頭去追擊雙子他們，連五行人你都對付不了，這表示什麼？」

任天行一愣，對啊，當時自己毫無還手之力，也就是說，在追擊雙子他們之前，自己還算正常。

「你的意思是，我會變成這樣，是雪兒的原因？」任天行確定那個女人是雪兒，那是因爲那個雪兒曾經救過他一次，而楊落雪在這之前素不相識，沒理由救自己。

「還不能確定，不過一定有很大的關係。」長風沉思了一下，說了一句讓任天行一直都沒有注意的事情：「九菊派基地下面有殭屍，這個殭屍是從哪來的？難道有人養屍？」

如果說養屍，也不無可能。相對於養屍來說，九菊派更慘無人道的事情都做了，那就是養鬼仔。這養鬼仔是靈界的忌諱，天理不容。每一個養鬼仔在養成之前，必須是找剛剛出生二十一天的嬰兒，用墨線先把孩子給吊死，然後放在陽光下曝曬三天，使得皮膚變爛，再放在醋罈裡面浸泡，然後把那些剛剛死去不到半年的屍體挖出來，提取屍體分泌出來的屍水，一起放在醋罈裡。期間不斷地把人血、豬血潑在醋罈上。用這種方法養鬼仔，可以控制這個小鬼爲所欲爲。

這是靈界所不齒的，而且，必遭天譴。鬼仔一旦被破，養的人必定暴斃而亡，死後入十八層地獄，受盡磨難。

在別墅死去的那個印度阿三，就是最好的證明。

到了中醫館，老中醫說的一句話，讓他們倆面面相覷，似乎不敢相信。

老中醫給他們倒茶之後，聽到長風問詢任天行受傷的事情，不禁愕然了一下。

「任小哥是老頭子這輩子見到最奇怪的一個人。」老中醫回憶道，「當時還有一個年輕人扶著他一起來，我看他滿身是血，知道他受了重傷。傷口處塞著的布條，都被血染紅了，但是，把那布條拿出來之後，他的傷口處，只留下一道淡淡的痕跡，根本沒有受傷的跡象。」

「我第一次給他檢查的時候，他身上絕對沒有那個痕跡。這真是奇蹟！」

「爺爺，雪蓮枸杞怎麼配？」一個稚嫩清脆聲音從後堂傳來。老中醫起身笑道：「你們先坐，我去去就來。」

經老中醫這麼一印證，他們兩人頓時陷入了迷霧中。任天行突然拔出了隨身帶的虎牙小刀，往自己手臂上一劃，一道紅色的血跡冒了出來。

鮮紅的血在皮膚上化成了幾道血跡，往下面流，只是剛剛流出一點點，它們就凝結住了，血液即刻結疤。

任天行用手一抹，血疤掉落，露出一道淡淡的紅色印記。這種奇蹟般的現象，在他身上再一次得到驗證，這老中醫沒有說假話。

長風眼露惑色，不明白這任天行怎麼會這樣。

但是，他們倆心裡已經明白了一件事，就是之前推斷跟雪兒有關，如今已經不成立。在沒有跟王婷婷去追擊雙子之前，自己就已經是這樣。

但是，如果跟雪兒沒有關係，那爲什麼在那之後，自己就像變成了一個人？在那山谷中，他親手斃了那五行人，對付倉庫一號，然後就是那些殭屍……

這幾件事，不但沒有找到線索，反而讓他們掉進更加深的迷霧中。

「天行，別擔心，這樣也未嘗不好，對你現在也有幫助。」長風安慰了一下。

任天行想想也是，這也沒什麼大不了了，這事情可以慢慢查，急也急不來。

輕快的腳步聲，從裡面傳來，一個頭髮披肩的小女孩從內堂探頭出來，瞪著兩隻大眼睛，看著他們倆。

「阿不，過來！」任天行見到是這可愛的小女孩，心情放鬆了許多。

阿不一步一步地走近任天行，但是眼睛一直放在長風的身上。

任天行以爲她怕生，逗道：「長風，你看你醜得把小女孩都嚇著了，等會叫老先生給你開幾服中藥，讓你改變一下。」說完了還不忘摸摸自己帥氣的臉，一臉臭屁。

只是他這玩笑沒效，阿不靠近任天行的時候，連連後退了幾步。

長風也看著這小女孩，心裡有一種異樣的感覺，但是這種感覺模模糊糊的，忽然想起來，但是又記不起來，怪異至極。

「阿不，妳怕他？」任天行看出了個中究竟，起身抱著阿不，低聲哄道：「這位長風哥哥人很好的，不是壞人，妳不用怕他。」

沒想到，阿不瞪大雙眼，驚恐地看著長風之後，吞吞吐吐地說了一句話：「他情孽太重！」

「情孽？」任天行和長風異口同聲叫了一句。這小丫頭怎麼突然冒出這句話！放下這丫頭，任天行在長風耳邊低聲樂道：「這丫頭很有意思，我第一次來，她跟我說我有心病，是感情的問題，哈哈哈。」

長風微笑著看著阿不，輕聲道：「爲什麼說我情孽太重？」

阿不低著頭，不敢正視長風，卻低聲地說了一句：「一代一代欠下來的，越積越多。」她突然間抬起頭，對長風叫了一句：「你們一族，之所以人丁不旺，就是因爲你們情孽太重！」說完拔腿就往後堂跑去。

我們一族？長風心裡震了一下，他的父親完顏渡劫在他出生的時候，離他而去，到他懂事的時候，才第一次見到他的父親。但是，父親出現之後，母親不久便離開了這個世界。

完顏渡劫帶著他到了西藏布達拉宮，把他交付給活佛之後，便一去不回。活佛當時告訴他，他父親去還債去了。小時候本以爲，父親是欠了人家的錢，去還債了，但是，等懂事之後，才知道，那個債是情債。

任天行沒看出長風的不妥，只覺得這小丫頭就會胡鬧，哈哈笑道：「這小丫頭是不是很有意思？」

「嗯，很有意思！」長風微笑著點頭，但心裡想著，這小丫頭絕不只是有意思這麼簡單。

雪蓮枸杞人參湯，清涼爽口，沒有一絲藥味，還透著一股清香，但是讓兩人感覺美中不足的是，每人只有一小碗。

「老先生，你這碗湯可不簡單！內含乾坤！」長風讚了一句。

這老中醫眼睛一亮，驚訝道：「小哥品出點兒什麼沒有？」

「如果我猜得沒錯，你這湯裡面的雪蓮、枸杞、人參，是按照五陽合和之數所配，以觀音水和龍顏淚各煲兩個小時，最難得的是，裡面多了一樣東西，把這幾樣藥材的味道和藥效，全融爲一體。」

任天行一聽，頓時傻了眼了，這湯感覺也就清香一點罷了，哪有這麼多名堂？不禁納悶地問：「什麼是觀音水和龍顏淚？」

「觀音水就是雨水，龍顏淚就是泉水！」

「哦，原來如此，我還以爲是什麼貴重藥材呢，這名字取得真是夠玄！」

長風一臉莫測，徐徐說道：「這雨水可不是普通的雨水，這泉水也不是普通的泉水。」

能稱爲觀音水，自然不是一般雨水，一年二十四節氣中，驚蟄之期的第一、第二天凌晨，到東海蓬萊的最高之處，以銀器接的雨水，才能叫觀音水。每年入冬之後，長白山天池周圍的植物上積著一點點的冰霜，那就是龍顏淚。

任天行瞠目結舌，這次算是長見識了，萬一這驚蟄之期不下雨，豈不是要再等上一年？而且長白山天池這麼遠，有誰會專程去那裡採冰霜呢？

老中醫頷首點頭，讚賞地看著長風，說道，「不錯！不錯！」探頭看了外面，說道：「天色已亮，清晨霧氣較大，老頭子我要出去採藥，不耽誤兩位貴人時間。」

主人下了逐客令，他們倆也不好多說，婉謝之後，離開了中醫館。

看著他們離去，阿不從裡面跑了出來。

「爺爺，他們走了？」

「走了！乖孩子，我們等的人已經出現了，不白費我們等這麼久的時間，走，去收拾一下。」

「我們等的人，就是他們兩人嗎？」小女孩拉著老爺爺的手，天真地問。

那老頭點了點頭，徐徐歎道：「完顏世家和任家的後人，又見面了！看來，我們也應該爲他們做點事情了。」

第113章

天眼小紅殭

鍾馗是中國民間傳說中驅鬼逐邪之神，號稱「驅魔大神」，而張天師以驅鬼辟邪成名於天下。一個開了天眼的紅毛殭屍，難道真的比他們倆聯手還厲害？那還有誰能制伏得了？

「滅蟲行動」在短短的一個晚上，獲得了空前的成功，雖然沒有百分之百的完成任務，但是能做到這一步，實屬不易。

畢竟用人力去對付殭屍，這是前所未有的事情。

那些普通的殭屍，在熱兵器的攻擊下，已經被徹底解決。參與這次行動的兩個軍區一共派遣了將近兩萬人，絕大多數的任務就是配合，無條件地配合。

真正參與戰鬥的，是那十二個分隊的成員。這些成員，都是江衛華和任天行從軍區資料庫裡調出來的精兵，平均的軍齡在五年以上。

這些兵雖然不像特種部隊那麼強悍，但是唯一的好處就是：忠誠、膽大、果斷。

事實證明，任天行用人十分高明，經過了一個晚上的硝煙，犧牲了將近一個分隊的人手，活下來的人，沒有一個人跟其他人提起這次的戰爭。

這些人就像啞巴一樣，就算是頂頭上司詢問，他們也不會洩露秘密，畢竟，一旦讓其他人知道這次的行動是對付殭屍，將引起社會動盪。

「滅蟲行動」的「軍事演習」十分成功，韋軍長對外的解釋，就是實驗新式輕武器，包括火箭筒、榴彈槍、火焰噴射器、手雷等強爆炸性武器的效果，並組成了以這些強爆炸性武器爲基本裝備的特殊反恐小組。

但是，他們知道，三十四具殭屍，還有四具沒有找到。

老劉翻著一疊文件，沉沉地說：「我們核對了所有屍體的記錄，在挖掘出來的這些屍體裡面，還沒有找到的屍體，分別是西元前一一六年的漢代大將軍衛青的後裔衛紅林；西元前一一〇，衛府左護衛；西元一二〇〇年左右，小孩屍體。西元一四五〇年前後，女性，長髮，初步斷定是富貴人家的小姐。這是一個族群墓穴。」

老劉說到族群墓穴的時候，顯得特別激動，聲音不由得提高了，說：「這個古墓群，可以見證整個華夏的千年歷史，特別是對研究漢代文化有著很大的作用。漢代大將軍衛青的後裔——衛紅林，就是一個證明。」

「你們知道嗎？石棺上面寫著：衛府紅林，征戰十二年，殺敵二千餘人，被賜予『勇猛大將軍』之名號，光宗耀祖，不辱我衛家軍之威名。落款寫著仲卿二字。這是衛青將軍的親筆題名。」老劉一邊看著記錄，一邊惋惜，「可惜，這樣的絕世寶貝，居然……」

眾人面面相覷，沒想到這個古墓群居然這麼大的來歷。

任天行和長風到現在還沒有回來，周芷慧只能先行處理。在何博士強烈要求下，她在天亮之後，派人收拾昨晚的戰場，特別是對殭屍的屍首，要現場拍照取證之後立即焚燒，就連焚燒成的灰，也要用隔離袋全部運回軍區消毒。

受傷的兄弟全部隔離，對於那些犧牲的兄弟，先用黑糯米塞在他們嘴巴裡面，然後儘快運回軍區。

王婷婷如今在急救病房輸血，她體質好得讓那些醫生瞠目結舌，失了這麼多的血，除了身子弱一點，臉色差一點，其他的沒有大恙。

古晶和Tom被送到何博士的一個專用房間，何博士不讓任何人進入，而郭心妍和何俊泰正帶著一群人在實驗室裡面忙碌著。

「老劉，這四具屍體的詳細報告，能否給我看一下？」何博士倒是不在乎這四具屍體有什麼價值，他擔心的是，這四具殭屍到底去了哪裡。

「這個……這個，咳！」老劉有意無意地看了一下周芷慧。這些報告，是考古隊把棺材打開之後，連夜進行研究的結果，這可是機密檔案，何博士不是內部人員，他自然不敢做主。

周芷慧向老劉點了點頭，何博士是古晶請來的幫手，何俊泰又是他安排的臥底，不管從哪個方面來說，都不算是外人，而且，最重要的是，這些資料對外界的人，自然是機密檔，但是何博士都已經知道發生的事情，甚至參與了這個事情，把檔案給他，有百利而無一害。

何博士接過檔案一看，臉刷地一下就白了。老劉沒有見過那些殭屍的厲害，周芷慧又奉命看守出土文物，江衛華在總部指揮，他們都沒有直接參與這個任務。但是，他們都聽過何博士之前說的關於殭屍分類的事情。

千年石棺，內有屍體一具，屍身完好，身穿金縷戰衣，屍體長毛，呈五顏六色，身長……玉佩、金銀器具等若干陪葬品，初步認定為兩千多年的文物，為漢代衛家軍重要人氏。

眼睛來回地盯著這幾行字，最後喃喃道：「身穿金縷戰衣，屍體長毛，呈五顏六色！」他反覆念了這一句，抬頭向眾人吐出了一句話：「五彩斑斕屍！」

眾人目瞪口呆，他們不只是聽到這五個字而口呆，更重要的是何博士的表情。這「五彩斑斕屍」讓何博士臉色一會兒白一會兒青，陰晴不定，而且，面部抽搐，萬分驚駭。

這比聞聲色變還要誇張的表情，讓周圍的氣氛頓時變得肅然、詭異。

「老劉，你們考古隊真是厲害，連五彩斑斕屍都讓你們出土了，真行，真行！」不知道這句是誇還是貶，何博士帶著諷刺的口氣，冷冷地說。

除了五彩斑斕屍，其他三具屍體的描述，就算是古晶看了也會大皺眉頭，噤若寒蟬。不是嗎？兩具長著綠毛的屍體，一男屍一女屍，這還不算什麼，充其量也就比白毛殭屍高一等級，但是，還有一具小娃屍體，全體通紅，頭髮和眉毛卻呈白色，最離奇的是，眉心之處長了一個拇指大的黑塊，遠看就像是一個黑洞一樣。

何博士聲音哆嗦著地說：「你們知道那個黑塊表示著什麼嗎？」

「那是天眼！一旦殭屍打開天眼，我可以直接告訴你們，沒有任何人能收服它，就算是鍾馗、張天師聯手。」

雖然沒有明說，但是都知道，就算是兩個得道的捉鬼大師聯手都未必能收服它。鍾馗是中國民間傳說中驅鬼逐邪之神，號稱「驅魔大神」，而張天師本名是張陵，東漢時五斗米道的創始人，自稱「太清玄元」，爲人治病、畫符念咒除災，以驅鬼辟邪成名於天下。

一個開了天眼的紅毛殭屍，難道真的比他們倆聯手還厲害？何博士是不是在危言聳聽？

悅月親眼見過紅毛殭屍的厲害，此時冷不防地冒出了一句：「長風就差點死於紅毛殭屍之手。」

「吧嗒」一聲，老劉被這一句嚇得把手上的老花鏡給折斷，何博士的手暗中不禁打顫。長風這個人，對於老劉和何博士兩人來說，實在太震撼。老劉從在大學裡認識他到現在，就差沒把他當作怪物來看待，在他眼裡，長風幾乎無所不能，當年學校的「陰變」事件，老劉是親眼所見，長風居然能穿牆而過，甚至……

而何博士，雖然沒見識過長風的本事，但是古晶曾經跟他說過，這是一個深得佛道兩家精髓的人。

這個人，居然差點死在紅毛殭屍之下？如果這個紅毛殭屍開了天眼，或者遇到了五彩斑斕屍，那還有誰能制伏得了？

「大約在八百年前，發生了一件很奇怪的事情。」何博士在這個時候說這個事，讓大家不禁愕然，難道這個事跟紅毛殭屍有關？

這一猜想，引起了大家心中的好奇。

「那個時候，成吉思汗東征西伐，鐵騎過處，無人可擋。在西伐歸來之後，史書上記載，成吉思汗派出的六千精兵，損兵三千，而野史上則記載，其實以成吉思汗他們當時的精兵和威名，損兵只有一千出頭，在歸東的時候，爲了避免與金國大軍相遇，繞道而行，途經一座大山的時候，在山上駐營。」

「蒙古人驍勇善戰，喜好打獵，入夜之後，他們到山上打獵，五百騎兵進入深山。最後，慘叫聲不絕，成吉思汗以爲遇到猛虎，就派當時一武功高強的軍官去查探。那軍官領兵五百，最後一去不回。」

「天亮之後，一千精兵不見一人歸來，眾人感到奇怪，成吉思汗領著剩餘的近四千人追尋，在一處山谷看到殘肢斷臂，到處都是屍體。」

悅月瞪著大眼睛，好奇地問：「地上的屍體，都是那些去打獵的？」

「屍體幾乎遍佈整個山頭，一千人，一個不剩，而且死相極慘。」何博士接過悅月的話，繼續說道，「成吉思汗心裡知道，這山頭一定有不平常的東西，要是那些虎豹之類，對一千士兵而言，根本不足爲懼。他們雖然驚駭，但是還是把這些屍骸全部入土，打算趁著天黑之前，趕緊離開這座山。這一千名士兵的屍體，全部入土之後，天即將黑。」

「之後呢？」眾人隱隱感到，後面還有更慘烈的事情發生。

果然，後面的事情簡直是聞所未聞。

「野史記載，成吉思汗連夜馬不停蹄離開這座山頭，入夜之後，忽聞有破風之聲尾隨而來，仔細一看，一紅色人影一蹦一跳地追隨著眾人，那種速度，比起馬匹，有過之而無不及。」

眾人心想：看來這紅色人影，一定就是紅毛殭屍。

「士兵們留下一小隊人，用弓箭、強弩等對付，但是那人影毫不畏懼，小分隊所有人最後慘死於那紅影之下。」

何博士沉沉道：「那就是紅毛殭屍，野史記載，這殭屍追著眾人一夜，盡殺精兵近千人，所向披靡，眾官兵根本無法抵抗。這殭屍，就是開了天眼的紅毛殭屍。」

「成吉思汗回去之後，大怒，西征殺敵過萬，損兵一千，攻克城池十餘座，沒想到回程卻被一具紅毛殭屍損了自己兩千精兵。因此，懸賞黃金萬兩，取其人頭。當時宋朝能人眾多，只是經過一年，那些人都是有去無回。而金國有一絕世高人，也參與其中，後來那高人和那殭屍均沒有下落。」

第114章

逸品茶軒

花瓶上面的那些花紋，是一個差不多半個巴掌大的圓形標誌，赫然刻著一個菊花！是九菊派的標誌，這個老闆，一定跟九菊派有關，說不定，這個茶館就是九菊派在F縣的情報網之一。

他們終於知道何博士驚慌所在了。何博士看的這個野史，是在加拿大的博物館看到的，中國在百年國難之後，眾多文化瑰寶都被這些老外搶走，在國內，史學家根本不知道有這野史存在。此外，他們對於野史也幾乎不屑一顧。

老劉張口結舌地說：「金國的絕世高人？那人是誰？難道是……」話沒說完，眾人心裡已經明白過來。

當時的金國國君複姓完顏，完顏一族屬於皇族，而這個金國的高人，多半就是複姓完顏。想到這一點，眾人心裡想到，這個複姓完顏的高人，多半就是完顏長風的祖先。悅月沒想到這次來中國，遇到的麻煩，比上一次更加大，喃喃說道：「對付這紅毛殭屍，不能只靠長風一個人！」

抬起頭，她對著眾人，把長風和任天行兩人對付那紅毛殭屍的過程說了一遍。這個開天眼的紅毛小殭屍，將會比那紅毛殭屍更加厲害。

不過，唯一不變的是，這些殭屍再厲害，還是怕陽光，所以，它們只有在晚上才會出現。

怕陽光？悅月腦光一閃，拍手道：「我想到一個對付它的辦法。」

「什麼辦法？」

「烈日」，悅月掏出了那顆烈日，說：「趁現在還有半天時間，我們要趕緊研製出新的『烈日』，把『烈日』裡面產生紫外線和 X 射線的化學成分增加。」

眾人大讚好方法，只是這個方法雖然好，但是卻治標不治本，這些長了毛的殭屍，雖然懼怕陽光，但陽光對它們，並不是致命的。

不過，有總比沒有的好。

何博士說道：「就算不能收服殭屍，但是驅走它，一定不成問題。」

周芷慧也點了點頭，說道：「悅月小姐，就這麼辦，江衛華，你要全力配合悅月小姐。」

「明白！」江衛華點頭。

「何博士，研製新式的烈日，一定少不了一個人，Tom，他是光學博士。」

Tom 中了屍毒，被運回來之後，一直被何博士用蒸餾的方法救治，把他放在一個木桶裡面，下面放了一層糯米，用火把糯米煮成飯，期間產生的蒸氣可以把人體的屍毒逼出體外。

只是這個 Tom 才被蒸了一夜，到現在還沒有甦醒。

偏偏這個時候，又少不了他。

何博士沉思了一下，說：「走，我們去看看他。」

Tom被脫得一絲不掛，盤膝坐在大木桶裡，兩手被木棍撐開呈十字形。木桶下面生著火，兩個穿著隔離衣服的士兵正不斷地給他擦身子。

在Tom的旁邊，還有兩個大桶，古晶就坐在其中一個桶裡面。古晶中了屍毒，不過並不嚴重，以自己修煉多年的內功，把屍毒逼到一處。只是他擺八卦驅魔陣，耗費了太多的真氣和精神，以至於臨近虛脫。

被送回來之後，何博士用放血的方式，把逼在一處的屍毒放了出來，餘毒用糯米驅出體外，虛弱的身子經過一夜調理，明顯好了許多。

眾人進來的時候，都戴上了防毒面具和手套，看到古晶臉色已經沒有這麼蒼白，逐一跟他點頭示意。

何博士對著旁邊的戰士問：「一共換了幾次？」

「報告，一共換了七次，這是最後一次。」

何博士點了點頭，說：「馬上換，火再燒大點，分量加倍。」

那兩戰士把一袋糯米捧了起來，倒進旁邊的空桶去，然後開水，在桶底下用大火燒，沒幾分鐘，桶內蒸氣大起，然後用一白色膠布裹住Tom，把他整個人都抬了起來，放到新桶去。

那舊桶拿起之後，眾人譁然，桶裡面一層厚厚的糯米，全部呈黑色，帶著黏性。這種毒，比蛇蠍還毒。

兩士兵雖然戴著手套，但是根本不敢用手去碰。他們小心翼翼地捏著下面的布匹，把這糯米捲了起來，然後扔到專業的殺菌玻璃箱裡。

何博士說道：「這是第八次用糯米驅毒法，體內的毒還沒有清，估計需要兩個月才能清除。」

「兩個月？」悅月失聲叫道，「這怎麼行，今天他如果醒不過來，今晚……」

老劉急道：「是啊，是啊，何老兄，有沒有更好的辦法？」

何博士翻了白眼，對眾人說：「我沒有！」

就在眾人失望的時候，何博士又加了一句：「他有！」

他一眼瞟向了古晶，說道：「茅山派的金針渡穴，或許能解決問題。」

針灸，是中醫的瑰寶，從古代到現代，都知名於天下，這也是中醫比起西醫更傲人的地方，在全球各個國家，都有專門的學科在研究和使用針灸。

這也是中國醫學最早走向世界，能得到世界認可的療法。

而古晶的金針渡穴，更是一絕。雖然虛弱，但是只要金針到了他手上，那就像玩魔術一樣，轉眼間，Tom身上插滿了長短不一的銀針。

此時，周芷慧收到了一個消息：鳳凰山山頂有巨大的爆炸聲，山頂倒塌。她急忙派遣施絲去查探。

在這種時候出現這樣的事情，無論是誰，都覺得有問題。而此時，正是白天，很多國家都透過衛星對湘西地區進行監視，這個時候如果派遣直升機去，太招人耳目，派施絲去，是最恰當不過的。

這時，任天行和長風在逸品茶軒裡，正悠閒地飲茶。任天行根本不急，他知道，自己不在，周芷慧一定能代替自己指揮全局。

任天行發現長風身上有一顆白色珠子，跟玉玲瓏非常像，好奇地說：「我們出土的那玉玲瓏，除了顏色，其他的都跟你這個一樣。你從哪弄來的？」

「它們很有可能就是一對！一白一黑。」長風淡淡地說，心裡卻琢磨道：這個時候出土，而且兩顆同時出現，會不會有什麼暗示？

任天行眼角留意著茶館裡的眾人，然後鎖定在那茶館老闆身上。

「他就是這逸品茶軒的老闆，我叫黃風查過他的底，他不是本地人，但是在F縣卻待了將近十五年。」

長風喝著茶，隨意地看了一下茶館四周，最後眼睛盯在服務台的一個魚缸上。

「你看那個魚缸！」

任天行沿著長風指去的方向看去，卻沒看出那魚缸有什麼特別。

「魚缸裡面的金魚一共三隻，二黑一紅。你再看看茶館四周有什麼不一樣！」

任天行仔細地看了一遍茶館，從地面到房頂，窗口到桌子，絲毫不放過，最後眼光留在屋角的大柱那裡，驚訝道：「三個大樑柱，兩紅一黑。」

「沒錯，三三之數，紅黑相間，這是招財陣！」長風低聲說道，「擺這個陣式的人，是個高手。」

「招財？可是，這茶館，似乎人很少。」任天行心裡納悶，要真招財，這生意怎麼冷冷清清的？

「你再仔細看看！用心去看，就能看出來爲何生意冷清。」

經長風這麼一點，任天行乾脆閉上眼睛，讓自己心裡靜了下來，然後再睜開眼睛，目視著四周。

「難道……跟那個花瓶有關？」

那是一個半人高的花瓶，裡面插著富貴竹，擺在門口旁邊，以示迎客，只是這高出的富貴竹，正好在魚缸的前面。

「這個招財陣，是把財源從外面招進來，只是這個老闆又擺了一個富貴竹，擋住了財路。這樣，不僅沒有招財之效，還擋了自己的財運。」長風意味深長地說，「一個普通的商人，如果財運擋著了，表示什麼？而以一個普通商人的財力，能在這裡待十五年……」

「對，我怎麼沒想到！」任天行恍然大悟，這麼簡單的邏輯，怎麼疏忽了呢？商人，始終是看著利潤，如果財路被擋住，這麼冷清的生意，每個月必定虧本，這個老闆居然能在這裡待了十幾年，就算是家財萬貫，這十幾年，一定也消耗得差不多了。既然是商人，他怎麼會賴在這裡呢？

任天行沿著長風的眼光，往那花瓶上面一看，心裡突然間一顫。如果不是仔細看，根本注意不到花瓶上面的那些花紋，那是一個差不多半個巴掌大的圓形標誌，上面赫然刻著一個菊花！

兩人面面相覷，十分驚訝，這居然是九菊派的標誌，這個老闆，一定跟九菊派有關，說不定，這個茶館就是九菊派在F縣的情報網之一。

任天行漸漸地握住了拳頭，眼睛猛地盯向那老闆，長風急忙拉住任天行，低聲說道：「不急，既然鱉已經入甕，不怕他跑了。」

兩人結帳出去的時候，那老闆見到任天行，眼色掠過一絲驚訝。

外面還是下著雨，小雨。

九月的雨帶起濛濛的霧氣，使得前面二十多米之外的地方變得朦朦朧朧，為整個縣城增添了幾分神秘和美麗。

他們兩人卻沒有撐傘，偶爾路過他們身邊的人，不禁好奇地打量一眼他們，然後各自趕路了。在街尾不遠的地方，那個黑色的房屋，與周邊的那些紅色建築，顯得格格不入。

黑屋門口，貼著一個白色的告示，任天行對於那個告示的出現，雖然有心理準備，但是眼裡還是露出一股意外之色。

「招學徒：膽子大，身體好，相貌醜。」任天行不用看，嘴裡喃喃說了出來。

果然，那告示跟任天行說的一模一樣，這一下，長風好奇地看了一眼任天行，沒有說話。任天行沉沉地說道：「就是這裡！」

只是這一次，他們並不急著進去，長風在四周看了一眼，問道：「那個小菡，帶你們到這裡的？」

「沒錯！」

「看，她當時就在這裡，而我們在她後面，幾步之差，但是我們發現現在仔細回想，她居然……沒有影子！」

如果是人，怎麼會沒有影子呢？

第115章

陳家棺材鋪

這一老一少，一個瞎了左眼，一個瞎了右眼，顯得怪異至極，而這樓上擺著一個神位，上面供著的不是觀音菩薩，也不是如來佛祖，而是一個拿著長刀的關二爺，嘴裡念著佛經，卻供著關二爺，奇怪得很。

任天行依稀記得那天遇到殷小菡的情形，自己的影子給街燈拉得長長的，而小菡，沒有影子。

她就像鬼魂一樣，微笑著，帶著眾人走到這裡。在下著雨打著雷的氣氛中，有一種領人去黃泉路的淒涼恐怖之感。

任天行看著長風，長風看著那個地方，那個地方閃著天上掉落雨水時濺出的水花。四周死氣沉沉，特別是下著雨，還起著濃霧。

面對的是一個普通的黑屋，但是這個黑屋，卻讓兩個大男人在門口愣著。他們的雙腳沒有徘徊，但是他們的思想卻在不斷地想著一個問題：進去還是不進去？

黑屋附近的幾個房子被工程隊修補過，還露出很新的痕跡，而在黑屋周圍都貼上了大標誌，警告人們不要靠近，以免細菌傳染。

這樣的標誌跟這樣的氣氛，讓這個黑屋顯得異常的詭異。

他們兩人的背後，是陳家棺材鋪，高掛在門檻上頭的門匾上，五個金色大字顯得陰涼顯眼。

這時，從棺材鋪門縫裡，傳出一聲微弱的聲音：「二娃！」

如果他不是任天行，如果他不是完顏長風，很難相信人的聽力在這小雨天裡，連這麼微乎其微的聲音都能聽得到。

而兩人，幾乎在同一個時間裡，做出同一個動作：赫然轉身。他們相對一視，都露出了一股驚訝和疑惑。邁開腳步，兩個人齊步走向了棺材鋪。

拍門聲響劃破了這壓抑陰沉的天氣，帶起了一絲生氣。

一個白影閃入他們眼中，開門的是一個年輕人。臉如猴腮，滿臉的麻子，在瘦小的身子外面，包裹著一身白袍。他長得居然非常的高，最奇怪的是他的眼睛。左眼大而明亮，但是右眼，幾乎瞇成一條縫。

只要是看到的人，都知道，他的右眼是瞎的。

門開了之後，他好奇地看著門口的兩人，一個是短髮，一張俊臉，但是偏偏又不是那種奶油男生，眼睛裡發出一股迫人氣勢的任天行；另一個人，長相普通，但是讓他看了之後，都不知道爲何心裡會發虛的長風。

這兩個人給他的第一個印象就是：要命的人。

雖然是要命的人，但是他卻沒有露出一絲懼意。一個連棺材鋪都敢開、天天爲死人服務的人，還怕什麼要命的人呢？

他暗自吸了一口氣之後，徐徐地吐出了一口氣：「有什麼可以幫忙的？」

他沒有問找誰，因爲到棺材鋪來的人，一般都不是來找人的，而是爲棺材而來。

長風開口說道：「我們要買一口棺材！上好的柳州棺材！」

任天行煞有其事地點了點頭，眼光卻往棺材鋪裡看去。這個開門的年輕人所透出的表情，都被他看在眼裡了，讓他心裡起了一種異樣的感覺，這種感覺，讓他覺得很壓抑。

能讓任天行心裡感到壓抑的事情並不多，偏偏這個年輕人就給他造成了這樣的感覺，心裡不禁提高了警惕。

進入棺材鋪之後，裡面棺材羅列，尺寸大小及各種式樣齊全，分大、中、小號三個等級，樣式不一。

「兩位老闆，您看，這一排，都是廣西柳州的木材做成的棺材。」這年輕人皮笑肉不笑地看著兩人。

長風獨自走到棺材旁邊，一個一個地摸，之後又搖了搖頭。

「我要最好的棺材！」

「有，有！在內屋，兩位老闆，裡面請。」這年輕人連連點頭，走在前頭，往內屋去。長風跟在後面的時候，給任天行使了一個眼色。

「老闆，這棺材可是本店的鎭店之寶啊。」一副黑漆大棺材擺在內屋邊側，這是柳州高級木材所做，頭尾兩面刻有龍鳳，雕有福鼠，栩栩如生。

「造棺之木最佳者爲春芽木，質堅色黑發亮，敲之略有聲，其次爲柚木，質堅色紅，不滲水，可防潮。以此兩種木質做棺材，均能避免鼠咬蟻蛀，埋地百年不朽。這口棺材，就是用春芽木所鑄。八萬八千八！」

任天行趁著長風跟他扯皮的時候，一個人慢悠悠地在後面，眼睛在四周不停地打量，等進入後屋的時候，聽到長風讚了一聲，說：「好棺材，買了。」

「老闆好眼光，好眼光！」這年輕人心花怒放，想不到自己居然做成了一筆大生意。只是在他樂的時候，長風鼻子微微一動，奇怪道：「怎麼有一股檀香味？」抬頭往上一看。

任天行邁上一步，冷眼看著樓上的時候，一聲聲急促的聲音從樓上傳來：「二娃！二娃！」

這年輕人臉色一變，看著這兩人，冷冷地說：「兩位老闆，今天下雨，不做生意，請改日再來！」

長風微笑道：「老闆，你是怕我們沒錢？天行，付帳。」

「我給？」任天行愕然了一下。

「當然是你給，難道是我給？」

任天行心裡苦笑，無奈地聳肩，說道：「信用卡能不能刷？」

這年輕人一臉冷漠，搖了搖頭。

「這是三千，算是定金，我們天晴來取。」任天行掏出了身上僅有的錢。而樓上一個蒼老虛弱的聲音，正不斷地喃喃自語，偶爾厲聲喝道：「二娃！」

任天行和長風心裡琢磨著，「二娃」想來就是這年輕人的名字。金錢的攻擊實在是太厲害了，尤其是做死人生意的。

這年輕人原本冷漠的臉色，稍微鬆了鬆。他收下了錢，說道：「兩位老闆，明天趕早。」說完便走在前面帶兩人出去。

任天行和長風相視了一眼，又看了看上面，然後跟著出去。

剛剛邁開腳步，長風耳裡聽到了幾句熟悉的聲音，他失聲說道：「般若波羅蜜多心經！」

那年輕人臉色一冷，轉頭喝道：「你們根本不是來買棺材的！」

就在此時，樓上喃喃之聲停止，之後一口很濃重的方言對著他們說了一句。這是湘西本地的方言，對任天行和長風來說，這無疑是鳥語。

那年輕人微微一怔，抬頭看了一眼，說道：「婆婆請你們上去。」一眼敵意地瞪著他們倆。

上了樓梯之後，一個老太婆瞪著雙眼看著任天行和長風，手上的佛珠「呯」的一下斷成兩截，嘴裡輕輕哼了一下。

兩人走近老太婆的時候，老太婆顯得有點慌張，身子不停地抖著，這年輕人邁開腳步，上前去扶著這老太婆。

這是一個到了風燭殘年的老婦人，一頭稀稀落落的頭髮，滿臉皺紋，老人斑佈滿臉上。雖然如此，她的眼睛卻是很有精神，只是右眼而已。她的左眼翻白。

這一老一少，一個瞎了左眼，一個瞎了右眼，顯得怪異至極，而這樓上擺著一個神位，上面供著的不是觀音菩薩，也不是如來佛祖，更加不是他們的祖宗靈位，而是一個拿著長刀的關二爺，旁邊還有一個焚燒著檀香的爐子。

嘴裡念著佛經，卻供著關二爺，奇怪得很。

她微微地睜開了眼睛，看到長風的時候，點了點頭，對長風說了一句話。雖然是方言，但是這句長風卻聽懂了。

那老太的大致意思是說：「你聽得懂《般若波羅蜜多心經》？」

觀自在菩薩，行深般若波羅蜜多時，照見五蘊皆空，度一切苦厄。

舍利子

色不異空空不異色

色即是空空即是色

受想行識亦復如是

舍利子

是諸法空相不生不滅

不垢不淨不增不減

是故空中無色無受想行識

無眼耳鼻舌身意無色聲香味觸法……

長風嘴裡喃喃地念了一遍《般若波羅蜜多心經》。

這一遍，就像沐浴春風一樣，讓眾人感覺到心裡十分的舒服，更讓那老太吃驚的是，長風念出的這個經文，不是用普通念經的方法，而是暗自用自己的念力，用最原始的梵音所念。

這老太眼睛突然一亮，臉上充滿了祥和，笑吟吟地道：「好，好！」

也只有她才能知道好在哪裡，任天行和那年輕人根本聽不懂。

這老太眼睛轉到任天行身上的時候，就像看到了鬼一般，臉色大變，身子一抖，眼珠凸了出來，十分驚駭。

沒有人知道她怕什麼，就連任天行也莫名其妙，這老太轉頭看了一下關二爺之後，雙手合十，對關二爺拜了幾拜，之後閉眼喃喃自語。

這讓眾人詫異不已，就連長風也莫名其妙，任天行更是摸不著頭腦，心裡自我安慰了一句：「這年頭，長得帥也能把人嚇著。」

過了半晌，這老太抬頭看了一下長風，又看了一下任天行，深深地吸了一口氣。

「你們來了！」她壓住自己興奮又激動的心情，徐徐地說出了這句話。似乎她早就在等他們倆。

任天行和長風相視了一眼，不明白她在說什麼，狐疑地問道：「妳在等我們？」

「我等你們出現，等了六十多年。」

兩人失聲道：「六十多年？」

這讓他們不禁懷疑，這老太是不是老得糊塗了，說話語無倫次。但是，下面的話，卻讓他們感到震驚。

「六十多年了，你們終於出現了。」旁邊的年輕人明顯就是她的孫子，雖然方言難懂，但是這年輕人無疑充當了一個翻譯的角色。

任天行疑問道：「你確定是在等我們嗎？」

那老太婆連續說一堆方言，每說一句，那年輕人臉色就變一下，之後那年輕人居然「吧嗒」一聲，朝兩人跪了下來，猛地磕了幾個響頭。

任天行急忙扶起他，不解地問道：「你這是幹什麼？」

年輕人原本含著敵意的眼神，如今居然一眼淚水，哽咽地說：「謝謝你們！」

「這是?爲什麼要謝我們？」任天行一臉迷糊，就連長風也感覺奇怪。

那年輕人看了一眼老太婆，然後對任天行說道：「謝謝你救了我母親。」說完之後，轉頭看著長風，激動道：「謝謝你救了他們。」

長風心裡隱隱感覺到了什麼，但就是不能確定，而任天行，卻丈二金剛摸不著頭腦，自己什麼時候救過他母親？

「我叫陳大貴，我母親姓葉名葉。」

「姓葉？葉葉？」任天行心裡在不斷地思索這個叫「葉葉」的女人，但是他卻一點印象也沒有。

「我婆婆說，她夢見了我母親，她被一個人關在一個罈子裡受苦，還不停地造孽，要不是你，沒有人知道她被關在那裡。」陳大貴哽咽著對任天行說。

罈子？造孽？

第116章

兩個女人

鳳凰山之巔，兩個白影正傲然地立在兩塊大石頭上，居然是雪兒和楊落雪，更想不到雪兒居然還有一個名字，叫「魅姬」。就在楊落雪想對付魅姬的時候，一個黑壓壓的人影從天而降，居然是五彩斑斕屍。

任天行身子一震，他想到了在泗水村竹林裡遇到的那個女人，那個數著數字殺人的女人。初三，就是不小心接下她的話，頭顱被她一刀砍下的。

當時，他憤怒地以竹子當武器，偌大的竹林被夷爲平地，墳墓裡的一個骨灰壇在他瘋狂的時候被打爛，骨灰裡面除了有幾根白骨之外，還有一塊寫滿咒語的布，上面有一些毛髮。

想到這裡，任天行呑呑吐吐地說：「那，那個骨灰罈……就是你的……」

那年輕人閉上眼睛，點了點頭，說道：「我母親被惡人困在骨灰罈裡，不停地造孽，你的發現，破了那咒語，讓她再有重生的機會。」

佛說：種善因，得善果。而對於因果，又說：有因必有果。

任天行沒想到前因後果居然應驗得這麼快。

長風在任天行說起泗水村竹林的事情之後，就已經知道這陳大貴爲何要下跪，爲何要謝他們倆的原因：任天行破了那陰煞，而長風，超度了那些慘死的亡靈。

但讓他們想不到的是，這個老太竟是泗水村外逃的村民中，唯一生存下來的人。她兒子天生就是殘疾，有了孫子之後，兒子和兒媳婦竟生怪病死去。

她的孫子陳大貴，出生的第一天，右眼就瞎了，一個算命的給她批命的時候說，欠了的孽債，要世世代代還下去，直到還淸爲止。

這是詛咒嗎？她不知道，最後，她回到了湘西，在F縣開了這家棺材鋪，給死人造福，積點陰德。

長風默默地點了點頭，心裡想道：「原來這樣，她拜關二爺，就是爲了讓他鎭住陳大貴的命，讓那些妖魔鬼怪近不了他的身。」

任天行問了一句：「二娃是誰？」想到這老太之前說的二娃，任天行很是好奇。

陳大貴皺了皺眉頭，說：「二娃不是人！」

不是人？

這一句，讓任天行和長風兩人驚訝了一下，陳大貴急忙解釋道：「二娃只是一個方言，用普通話念『萬』音。」

「萬」？什麼意思？

長風把這個字和《般若波羅蜜多心經》聯繫起來之後，這才明白，這個音應該是「卍」，跟「萬」字諧音。

「卍」是吉祥的標誌，是釋迦牟尼的三十二相之一，《大方廣佛華嚴經》卷六五〈入法界品〉說：釋迦牟尼「胸標卍字，七處平滿」。在耆那教的宗教儀式上，卍和寶瓶等是象徵吉祥的八件物品之一。卍意爲「致福」，舊譯爲「吉祥海雲」。

但是，這個「卍」字，內在的含義並不是這麼簡單，如果用無上念力念出這個字，會爆發出一種讓天地變色的能量。

長風知道，以自己的精神念力，把這個字寫在手心上，對著那些妖魔鬼怪打出去的威力，絲毫不遜色於道家的掌心雷。

但是，讓他奇怪的是，爲何這老太會念出這個字。

老太有意無意地看了任天行一下，任天行覺得奇怪，不禁說道：「沒關係，妳說就是了。」

「我聞不到你身上的人氣。你的身上，沒有一點人氣！」老太太瞪著眼睛看著任天行，慢慢吞吞地說了出來。

陳大貴翻譯這話的時候，臉上一股怪異之色，看著這任天行。

任天行和長風兩人心裡同時震了一下，他們當然知道是怎麼回事。這一下，任天行倒是不好解釋。

老太太良久才歎了一口氣，說：「老天要你成這樣，必定有理由。」

下面的雨似乎漸漸變大了，突然間雷聲大作，老太太臉色一凝，之後嘴裡喃喃念經，任天行突然間感覺不對勁，而長風也有所察覺。

一種陰冷的力量從外面逼了進來，這股力量赫然就是來自那個黑屋，老太太猛地抬頭，大聲喝了一聲：「二娃！」

這股力量被這老太婆念的這個「卍」逼退了回去，只是回去之後，又有冒出的趨勢，長風暗自捏了一個印訣，用手一彈，叩訣朝著那黑屋的方向而去。

這股力量在長風的印訣下，被打得縮了回去，不敢再出來。

長風問道：「那黑屋是怎麼回事？」

陳大貴沉沉道：「那個黑屋，沒有人敢進去，裡面很邪門，聽說是世世代代傳下來的，以前是趕屍人的住地。」

「趕屍？」

「對，趕屍！」陳大貴點了點頭，說，「F縣這條街，在以前，還是一片荒地，而那個黑屋，叫死屍客棧，是專門給趕屍人居住的地方，後來這一帶的人越來越多，發展成了一個縣城。只是那黑屋，沒有人敢進去，進去的都沒有再出來。」

任天行瞠目結舌說道：「傳說中的湘西趕屍是真的?這黑屋居然是死屍客棧？」

陳大貴點了點頭，遞給任天行一個手電筒。

長風輕聲道：「走，我們去看看！」

告別了陳大貴和老太，兩人出了棺材鋪。

在鳳凰山之巔，兩個白影正傲然地立在兩塊大石頭上，天上細雨紛紛，飄落下來的時候，在她們幾尺遠的地方，滑到了別處。這些雨滴，居然靠近不了她們身邊。

其中一個臉色冷漠，傲然道：「魅姬，想不到這幾千年來，妳還沒死！」

「老天不讓我死，我又怎麼捨得死呢？」那個被稱為魅姬的人，輕輕地歎了一口氣，然後糾正道，「我現在叫雪兒，不叫魅姬。楊姐姐，想不到還能見到妳。」

想不到，在鳳凰山山頂之上的兩個女人，居然是雪兒和楊落雪，更想不到雪兒居然還有一個名字，叫「魅姬」。

「哈哈哈！」楊落雪仰頭冷笑，冷眼看著雪兒，譏笑道，「改了個名字，就能裝成人了嗎？告訴妳，就算妳怎麼變，妳還是一隻狐狸精。」

雪兒臉色一變，之後幽怨地看著楊落雪，徐徐道：「楊姐姐，妳愛怎麼罵就怎麼罵，幾千年不見，世道都變了，咱們還有必要鬥下去嗎？」

「臭狐狸精，妳認為裝可憐，我就會放過妳嗎？當年你們加害我父親的時候，怎麼就沒想到放過他一命?我父親乃三朝元老，忠心耿耿，最後竟然被炮烙而死。」

「楊姐姐，伯父之死，魅姬實在是……」

「住口，今天就讓妳下去給我父親謝罪!」楊落雪大喝，打斷了魅姬的話，眼睛裡閃出一股白光。她微微一舉手，綢帶一掃，幾道光線伴著綢帶射向魅姬。

魅姬臉色一變，驚呼道:「楊姐姐……」身子微微一扭，右手手掌一出，一股陰柔之力從掌心而發。

「砰!砰!砰!」

三聲震天的響聲，在大地上迴盪著，整個鳳凰山就像地震一樣搖擺不定，轟的一聲，山的一角崩塌了下來，巨石不斷地從山上滾下來。

楊落雪和魅姬站在樹梢上，一個瞪著一個。

楊落雪大怒道:「好啊，妳個臭妖精，修煉這麼多年，居然還有點道行，當年黃飛虎將軍一把火沒把妳燒死，今天我就來如他這個願!」

她面色大怒之下，整個身子居然變得通紅，空氣中充滿了硝煙的味道，熱氣不斷地從地面升起。旋即，在魅姬的腳底下，居然冒起了巨大的火舌，這些火舌就像岩漿一樣噴射出來。

魅姬臉色大變，一搖身，飄到了一邊，只是地下的那股火焰，卻跟著她的方向一路追了過去。

魅姬吹了一下口哨，兩個人影遠遠地跳了過來，楊落雪冷笑道：「居然有救兵！」

那兩個人影，一跳一跳的，速度非常快，見到魅姬被火舌所追，一下跳到火中間，不停地揮舞著它們直楞楞的雙手。

火沿著它們的身子燃燒了起來，身上的衣服一下就被燒成了灰，身上綠色的毛顯得額外的鮮豔。

「綠毛殭屍？」楊落雪雖然好奇，但是卻不在意，嘴裡冷笑了一下，「孽畜，看我用三昧真火把你們燒成灰！」

「楊姐姐，不要！」魅姬失聲叫道，但是楊落雪絲毫不理會。魅姬對著那兩具綠毛殭屍大喝道：「你們還不快走，我呼喚的不是你們，快走！」

但是，已經遲了，只見楊落雪朱唇開啓，一團五光十色的火焰從嘴裡冒了出來，罩在那兩殭屍上。兩具殭屍慘痛嚎叫，揮舞著手，不停地向魅姬吼著，火舌慢慢地吞噬了它們。

魅姬叫道：「不要！」她小嘴一吞，一股龍捲風席地而起，沖向那團三昧真火。

「砰！」

又一聲驚天霹靂的響聲響起，地上炸開了一個巨大無比的洞，那兩具殭屍已化成塵土，消失得無影無蹤。

「妖孽，受我一掌！」楊落雪遙遙一掌打了過去。

就在楊落雪想對付魅姬的時候，一個黑壓壓的人影從天而降，擋在魅姬的前面，死死地接住了這一掌。

這是一個男人，一臉消瘦，身穿金縷戰衣，眼角發出一股冰冷的光，盯在楊落雪身上。一個掌印，赫然出現在了這男人的胸膛上，但是它卻沒有感覺。

它似乎在發怒，伸直的兩手咯咯地響，手上五彩斑斕的絨毛顯得格外顯眼。這個殭屍，居然是五彩斑斕屍，古墓裡面最古老的一個殭屍——漢代將軍衛青府下的勇猛大將軍衛紅林。

五彩斑斕屍到來，讓魅姬心裡鬆了許多，但是她卻沒有把握對付得了楊落雪。

楊落雪看都不看在眼裡，傲然道：「人不人鬼不鬼的，死了幾千年，你還出來幹什麼？」

「它是出來幫我找人的。」魅姬手指微微一動，暗示這屍王不要亂動。

「找人？哈哈哈！」

「沒錯，是找人，我要找壽哥！」

楊落雪狂笑的聲音立止，大驚道：「他還沒死？」

魅姬歎了一口氣，幽幽道：「楊姐姐，冤冤相報何時了，不如……」

楊落雪咬牙切齒道：「沒死就好，沒死就好，我今天就放過妳，等我找到他，我要他求生不能求死不得！」

魅姬知道多說無補於事，這楊落雪復仇的心太強，說什麼也聽不進去，最後說道：「任家的後人，已經出現了！」

「那又如何！」楊落雪冷哼了一下，飄然而去，留下一句話，「任家和完顏家的後人，一定不會有好下場，妳等著瞧吧。任何人，都躲不過命運輪盤！」

「你見過他們倆！」魅姬大驚失色，追隨而去，叫道，「楊姐姐！等等我！」

第117章

關注

施絲慘叫了一聲。手碰到石頭之後，冒起了火，一股熾熱的感覺從手上升了起來，整個心臟就像是被火烤了一下一樣，那塊石頭，曾被楊落雪的三昧真火焚燒，豈是普通人能碰？

五彩斑斕屍跟著魅姬而下。

而在此時，世界的另一面，一群西方人站在顯示幕面前議論紛紛。

「大家看，這是透過衛星對中國湘西境內進行的監控，他們這次的軍事演習，都安排在晚上，我們根本沒法看到。但是，我們拍到了兩張這樣的畫面。」

兩張相片顯示在螢幕上，一個人指著相片上的一個坑說道：「今天早上這裡還沒有這個洞，但是在一聲爆炸之後，出現了這個洞。還有，這個山也崩了一角。根據比例，這個洞直徑將近三十米，深有七米，山體崩了一大片。我們計算過，如果要造成這麼大的傷害，需要至少兩百公斤左右的C4炸藥同時爆炸。這次，中國軍方演習的內容，暗地裡是實驗小型爆裂性武器，如果這是用小型武器轟炸的效果，那麼，這種武器的威力，比坦克威力大十倍不止。」

這麼一說，眾人譁然，面帶驚色。

其中一個上校級別的人說道：「如果真的是中國軍方的武器所造成，這種武器一旦大量製造，將會威脅到我們國家在世界的地位。」

「沒錯，我們要召開一個緊急會議，給中國施壓，讓他們把這些武器給毀掉。」

這群西方人嘰哩呱啦一陣，急忙打電話召開會議。

這些人裡面，有一個老人在靜靜地看著那相片，一言未發。相片上面，有兩個白色的點。

「湯瑪斯博士，你在看什麼？」

湯瑪斯指著那兩個白點說道：「這兩個白點，會不會是人？」

「那他們豈不是會飛？哈哈哈，這也許是雲層或者積雪。」這人哈哈大笑，這麼簡單的道理都不知道，真是笨蛋。

湯瑪斯冷眼看了他一眼，心裡琢磨道：「如果是雲層，怎麼會在下面？如果是積雪，這是九月份，湘西又處於中國南方，怎麼會有雪？你才是個大笨蛋。」他拿起了電話，打給了一個人，說道：「聯繫在中國的Sharly，叫她儘快跟我聯繫。」

在大洞邊上，一個女孩正站在那裡，好奇地看著。

她輕輕一躍，就像狐狸一樣靈活，沿著大洞一下到了洞底，然後又一溜煙似的爬了上來，速度非常快。她嘴裡喃喃說道：「大於七米深，裡面冒著一股熱氣，這洞是怎麼來的，難道有隕石？」

她就是被周芷慧派來視察的施絲，看到這個大洞，愣了好半天。靠著自己的身形，她不用一分鐘時間，就繞著這個山頭跑了一圈。

「山頭崩裂，看起來不像是自然崩裂，如果是人爲的，炸藥起碼需要十公斤以上。」施絲自言自語地說。

她輕輕地走到一角，抬頭一看，那一片樹木有一半以上似乎被火給燒過。輕輕一躍，她躍上了樹梢，折下一枯枝，看了被燒焦的地方，用手摸了一下。

「奇怪，這難道是隕石帶起的天火所致？這樹木曾被烈火所燒，但是瞬間那火又滅了。」沉思了好一會，她看到地上一塊石頭正冒著煙，不禁奇怪地走了過去，用手摸了一下那石頭。

「啊！」施絲慘叫了一聲。那手碰到石頭之後，冒起了火，一股熾熱的感覺從手上升了起來，這火從手上傳遞到心裡，整個心臟就像是被火烤了一下一樣，讓她差點暈厥過去。

幸好有了準備，碰到之後，她急忙抽開了手，要是再晚一秒，她的心臟必定被焚燒成灰不可。

那塊石頭，曾被楊落雪的三昧真火焚燒，豈是普通人能碰？就算是長風，也不敢如此貿然。

施絲拖著自己虛弱的身子，一臉蒼白，回到軍區的時候，周芷慧幾乎不敢相信這就是號稱踏風逐浪的龍牙施絲。

「江衛華，封鎖鳳凰山！」周芷慧大驚失色，急忙派人先把那地方給封鎖了，眼睛轉向李寶國和曾敏儀，說道：「你們去幫忙，看看有沒有什麼線索？」

周芷慧想了又想，最後還是決定打電話給任天行。

任天行和長風剛剛出了棺材鋪，周芷慧的電話就來了，靜靜地聽完她所說的一切，任天行只簡單地說了一句：「好！知道了！好好照顧施絲！」

掛了電話，任天行簡單地給長風說了一下施絲的事情，然後給黃風打電話。

黃風不理解任天行爲何要他在第一時間內把這個事情洩露出去，讓那些記者聞風而來，不派人管制。更不解的是，他還要向上級請求立刻組一個科學考察臨時小組，從北京、上海等各地調派人手，立即動身，專機前往F縣。

雖然不理解，但是他還是做了，隨即記者蜂擁而至，圍著鳳凰山想盡各種辦法上去採訪，調派過去的軍隊，層層阻攔，越是不讓他們上去，他們越是要上去。

國外和國內的記者都嗅到了點什麼，大石頭充當了最佳馬甲，故意說露那麼一點點嘴，但是又不全說完，惹得眾小記者心裡恨得牙癢癢，就差沒罵到他祖外婆的頭上了。而那些略有姿色的美女記者這下發揮了她們的作用，用盡各種手段，終於套出了一點線索。

「石長官，請問這次代號爲『滅蟲』的軍事演習，過程是否成功，演習時間會持續多久？」這MM還算聰明，不直接問鳳凰山山頂的事情，而先把話題打開。

大石頭笑眯眯地故作紳士，只是他那兩個豬哥級別的小眼，早就把他的面相給出賣了，自己還不知道。

那MM心裡罵了一句：「色胚！」但是臉上卻職業性地微笑，提醒大石頭叫道：「石長官！石長官！」

「哦！哦哦！」大石頭被這小記者MM高聲叫了兩下，才回過神來，咳了一聲，掩飾自己的尷尬，回答道，「這次由上級統一指揮，考核M和N兩軍區的精英部隊練兵實力，開展了這次代號爲『滅蟲』的軍事演習，昨晚官兵們的表現，充分體現了現代化軍事的強硬實力。」

另一個MM此時插上了嘴：「石長官，能不能解釋，爲何要在夜晚進行軍事演習？網路上最近流傳F縣出現殭屍事件，是否屬實，是否跟這次的演習有關？」

大石頭瞪著雙眼，看了一下問話的這個MM，這記者MM長得實在太一般了，大石頭露出了一絲失望。之前那個長得甜甜的MM一下逮住了這個機會，應和道：「是啊，石長官，能不能說一下？」

「我要是說了，妳能不能也說一下妳家的電話號碼？」大石頭低聲在那甜甜的MM耳邊說道。

那MM愣了一下：「啊？」

「家裡的電話不方便？那，手機也行，對，手機方便點。」

「這……這個，石警官……」這記者MM看了大石頭一臉豬哥樣，心裡咒罵了幾句，然後很不甘心地掏出筆，撇嘴在大石頭的手心上刷刷地寫了幾下。

大石頭看到她那氣鼓鼓的樣子，心裡早就笑開了花，但是臉上還是裝作有點滿足，嗯嗯地點頭。

讓眾人等了半天，他才開口：「這次軍事演習，就是爲了考驗士兵們在黑暗中作戰的應變能力，沒有什麼特殊的原因。」

「就這麼簡單？」眾記者張大了口，似乎不敢相信。

「那妳以爲有多複雜？所以，希望眾媒體的朋友，不要捕風捉影。」

「那，對於網路上最近流傳著F縣出現殭屍事件，石長官您有什麼看法？」

「湘西一直都有『趕屍』之說，我們軍方早在五十年前就發現，湘西趕屍其實是一些不法分子利用趕屍做幌子，進行運毒販毒犯罪活動。這次軍事演習，只是一個小型的演習，一些別有用心之人，利用湘西趕屍的事情，跟這次演習聯繫起來，就是想對我們軍方造成輿論壓力。根據我們的調查，在網路上散佈F縣出現殭屍的源頭，發佈者的IP在國外。」

這番解釋讓眾人譁然，記者們紛紛拿筆記錄。如果發佈者的IP是在國外，那就表示著，流言就是假的，一個在國外的人，又怎麼能知道湘西的事情？對這一解釋，眾人非常滿意。

一個外國記者用英文問了一句：「石先生，據說這次代號爲『滅蟲』的軍事演習，是軍方的一項特殊演習，除了考驗士兵的應變能力之外，還對新式的小型武器進行試用，不知道是否屬實？」

大石頭臉色一冷，沉沉說道：「對不起，無可奉告。」

人群中，不知道是誰突然冒出了一句：「今天早上鳳凰山山頂發生幾聲巨響，是否跟這次小型武器的試用有關？」

喧嘩的眾人突然間安靜了下來，上百雙眼睛盯在大石頭身上。此時，大石頭頭頂嗡嗡聲大起，四輛直升飛機飛過。

大石頭說道：「各位媒體朋友，關於鳳凰山上的事情，如今還不便相告，我們將會在三天內調查清楚，並把真相告訴大家。」

這一下眾媒體譁然，他們自然不滿意這個答覆，堅持要大石頭回答。這時，大石頭耳朵裡的接收器，傳來了黃風的聲音：「大石頭，讓那些媒體派一個代表到山頂採訪，記住，只讓一個。」

「各位！請安靜，我們軍方十分願意跟各媒體合作，但是因爲條件限制，目前還不方便做出結論。要不這樣，我們的專家小組已經到達，各位選出一個代表，隨我一同進去。」

眾人一聽，就選一個，心裡非常不滿，但是看到四周官兵荷槍實彈地在四周守著，心裡一陣寒慄，眾人你看我我看你的，都不知道該推選誰，最後一致推選那個長得甜甜的記者MM，誰叫大石頭的眼光從沒有離開過她身上呢？

第 118 章

黑屋的秘密（上）

兩人踏入黑屋的時候，一股陰森森的冷風迎面而來，籠罩在他們的身上。伸手不見五指，只聽到外面淅淅瀝瀝的秋雨之聲，還有就是兩個人鼻孔張縮、心跳加劇的聲音。這才是真正的死屍客棧！

任天行開會之前曾經強烈要求地方政府，壓制住眾媒體，不讓它們報導，現在卻大開閘門，這點讓長風百思不得其解，就連在軍區裡的周芷慧知道了這個事情，都驚訝不已。

任天行畢竟是任天行，考慮的事情比別人多，他說了一句話：「這樣做，就是爲了緩解上面的壓力，抵制不必要的輿論壓力。」

自從網路上有殭屍的流言傳出之後，當地政府已經頗受壓力，而任天行從開始就操縱著整個M軍區，爲了把九菊派一網打盡，端掉他們的實驗基地，全面進行封鎖，爲此還當場擊殺了一個員警，以儆效尤，表明軍隊的決心。

F縣的電話系統被加入過濾系統，整個F縣民用、公用互聯網全部中斷，只剩下軍用幹線的網段，種種的手段，早就讓人猜疑。當地政府作爲職能部門，這次上頭居然命令不讓他們介入軍方的行動，更讓人疑心大起。

參與「活祭計劃」的那些國際組織透過各種手段，把湘西發生的事件一一發佈出去，試圖在國際上造成輿論，給軍方施壓，但是他們沒想到，這次軍方的態度居然這麼堅決。

如今，鳳凰山出現的爆炸事情，國外眾多媒體就已經有了報導，那些所謂的軍事專家、政治研究家、評論家等，一一發表了看法，認為中國軍方已經掌握了強大的殺傷性武器，在演習過程中，一個小型武器居然有兩百公斤級別威力的C4炸彈這麼大。這新聞一出，世界各國愕然，原本就有反華思想的那些政治人物，特別是日本的右翼分子和美國的反華聯盟，當天上午連連針對中國軍事演習事件發表不滿，甚至提出各種各樣荒唐的假設和抗議。

長風微笑，讚賞地點了點頭，他心裡已經知道任天行的苦心了，那些記者一旦進入實地採訪，一定是來一個諸如「巨大隕石降落湘西」之類的文章，再加上任天行請的那些專家這麼一唬弄，那些輿論不攻自破。而那些信誓旦旦要抗議中國軍方研發大規模殺傷性武器的小丑，就會吃不了兜著走。

推開了黑屋，撲面而來的，是一股潮濕的黴味。

兩人踏入黑屋的時候，一股陰森森的冷風迎面而來，籠罩在他們身上。

「砰！」門莫名地關上了，突然的響聲，讓他們感到全身的毛孔都緊縮起來。

伸手不見五指，只聽到外面淅淅瀝瀝的秋雨之聲，還有就是兩個人鼻孔張縮、心跳加劇的聲音。

任天行打了個寒顫，說道：「怎麼這麼冷！」

長風說道：「好重的陰氣。」

幸好有陳大貴給的電筒，不然這麼黑，根本沒法進去。

藉著電筒的光，依稀可以知道黑屋非常寬，不過，出乎意料的是，這個屋子裡面的地板和牆壁都是用方塊狀的石板砌成。

四周什麼都沒有，只在牆壁上掛著一雙繡花布鞋。這布鞋十分精緻，看得出來是手工做的，而且手藝還非常好。

任天行不由多看了兩眼，然後把電筒往上一照。

頭頂上，掛著很多的袋子，這些袋子被一根根的繩子吊著。嚥了一下口水，任天行向裡面瞟了一眼，說道：「看看這東西。」

那些袋子稀稀落落地掛在上面，很多都因爲上次的事情被人打了下來。那些衛生局的人好奇地拆下了很多，但發現裡面盡是石灰粉和碎玻璃，找不出什麼有價值的線索，因而不再理會這些袋子。

長風眼睛看著上面的袋子，一步一步地走，嘴裡喃喃自語，走了一圈，沉沉說道：「九宮之數！」

「什麼？」

「一共九九八十一個袋子，按照九宮之數排列。」

經長風這麼一點，任天行再次端詳著，這些袋子密密麻麻地排列著，不仔細看還真看不出它們排列的規律。長風一個縱身，扯下一個袋子，打開之後，裡面白白的東西在電筒的照射下還閃爍著光。

「石灰粉！」任天行深深地吸了一口氣，這不是第一次看到這東西，在縣醫院的太平間四周，在櫻子的那個別墅裡，都有這個東西。

「聚陰之用！用九宮陣聚集陰氣！看我破了你！」長風淡淡地說了一句，眼光掃了四周一眼，手指一彈，一道勁風從兩指之中射出。

「噗哧」一聲，一角的袋子被打破，呼的一聲，袋子破了個洞，洞裡冒出一股白煙，原本陰森森的感覺瞬間突然消失。

任天行心裡一鬆，頓感舒服，知道這陣法被長風這麼一下就破了。

在這屋子裡，除了那雙鞋之外，就沒有什麼特殊的地方了。

往裡面走，是一條走道，任天行悄悄地掏出了槍，一步一步地往裡走。走了好一會兒之後，看到了前面有兩扇大門板，任天行停了下來，疑惑地轉頭看了一下後面。這前面就是一個門了，曾經出現黑貓和一口棺材。

長風邁上了一步，看了一眼，說道：「這才是真正的死屍客棧！」

從進來的門到這裡，應該就是後來加建的，這兩扇大門板上面，長了一些苔蘚，起碼有上百年的歷史。特別是門上面還有一個牌匾，在微弱的電筒光照射下，還能看出「湘西小棧」四個大字。

兩人面面相覷，微微點了點頭，任天行用手一推，兩扇大門板徐徐地開啓。

「吱！吱！呀！」一聲尖銳的門軸聲響起。

一股嗆人的灰塵味道迎面撲來，兩人捂住鼻子，慢慢地走了進去。

長風猛地一拉任天行的袖子，低聲道：「電筒給我！」

接過電筒，長風在門口上下仔細地研究著，任天行湊過去看了一眼，驚訝道：「是線路？你怎麼發現的？」

「如果能在任何時候都處於冷靜的狀態，觀察力會比平時要高一五〇%。」長風意味深長地對任天行說了一句，然後沿著那線路，尋找開關。

任天行心裡震撼了一下，心裡升起一股惆悵和失落。經歷了這麼多的事情，本來以為自己已經夠冷靜了，但是，現在才發現，上次這麼多人進來，居然沒有一個人發現，可見這些離奇的事情對自己造成的影響有多大。而讓他失落的還有，他始終比不上長風。

「嘰咕嘰咕！」兩聲偷笑的聲音，從他心裡冒了出來，他不禁有點惱怒，默默地念道：「小傢伙，你笑什麼？」

「嘰咕嘰咕！小傢伙叫誰？」嘰咕瞪大眼睛問。

「小傢伙叫你！」任天行不由得來氣，只是這句話之後，嘰咕居然哈哈大笑，似乎在撫掌而樂。

等任天行知道自己失言之後，不禁無奈地苦笑了一下，這個嘰咕最近不知道怎麼著，變得似乎比以前通靈了，自己跟它的溝通，已經形成了一種默契。

這完全就是一種精神上的交流，用心理學家的話說，叫意識互通。只是這樣一來，自己所想的，完全被嘰咕知道。

幸好，嘰咕最近特別犯懶，不主動叫它，它還不會甦醒。

「不用這麼喪氣，你跟他，不是同一個世界的人，別指望著能比得上他。畢竟，天下只有一個完顏長風，也只有一個任天行！」嘰咕說完這句話之後，打著哈欠又消失在任天行的意識之中。

「嗒！」一聲清脆的響聲，四周幾盞燈閃爍了幾下，然後亮了起來。雖然是幾個很老的燈泡，但是這點燈光，比電筒亮多了。

長風看了一下任天行的臉色，有意無意地向他腰間的那把槍瞟了一眼，微微一笑，走進了客棧裡面。

客棧裡面有兩層，下面一層非常寬敞，幾根大柱子顯得古香古色，柱子上面，就掛著電燈，幾張破舊的桌子陳列在中間，到處都是橫七豎八的破椅子，有一個木梯直通二樓。

這個地方很出人意外，他們就像是回到了古代一樣。

兩人小心翼翼地背靠背，上下左右打量著，任天行額頭微微出汗，沉沉地說：「咦，奇怪，這跟上次遇到的不一樣！」

他記得，這個屋子中間，應該是一個很大的水池，裡面有一層層的血水，惡臭不堪，眾多的死禽發出陣陣的惡臭，屍水、骸骨到處都是。

那個很大的水池沒了，衛生局噴的那些消毒藥水沒了，但是依稀能夠聞得到那濃重的藥味。

「不奇怪，上次你們進來的時候，是因為門口那個九宮陣，讓你們產生視覺差，這地方有兩個入口，給你看看這個九宮陣的真實面目。」

長風拉著任天行轉了幾個身，腳步變了幾下之後，人就站在一個大木門那裡。任天行好奇地用手一推，那門吱吱地打開了，裡面跟上次來時一模一樣，只是周圍佈滿了很多白色的粉末，這些粉末都是消毒用的。

「怎麼會這樣？」任天行非常愕然，這樣的陣法簡直神乎其技，明明只有幾步之差，卻變得這麼離譜。

長風淡然地笑了一下，又拉著他回到了之前的那個門，說道：「這個房屋的設計是按照九宮設計的，所以，不懂陣式的人只能到那間房屋，這間才是真正的內在乾坤。說白了，就是讓人造成感官和視覺的誤差。」

進入這個新的房間，長風虎目不停地掃著四周，眼珠裡散發出一種黃色的光，這種神秘的光，似乎要把這裡的每寸地方都掃入眼裡，而他的右手拇指，正不停地掐著其他四指的關節，喃喃地算著。

「是這裡了！」長風眼睛落在二樓，對著任天行說道，「你看著下面，我去上面看看！」兩個縱身，腳尖輕輕一點，整個身子就像是沒有重量一樣，飄到二樓的扶手處，輕輕一借力，躍上了二樓的走廊。

「要從這裡直接跳上扶手處，如果讓我跳，最少需要助跑十五米，而他居然能這麼輕鬆地靠腳小腿的肌肉，這是怎麼練出來的？」任天行心裡一邊想，一邊盤算著最近發生的種種事情。

這兩扇大門板，起碼有三米高，門板後面居然很寬闊，蹲了下來仔細觀察，這門板後面的牆壁，看起來非常的普通，沒有什麼奇怪之處。

不過，對於刀鋒出身的任天行而言，除了身手之外，最重要的就是經驗，刑偵學的知識是最基礎的知識，以任天行這幾年的經驗，見識更是獨特。

這大門板後面的牆壁處，地板有些凹凸不平，這地板是大青石所鋪，凹凸不平自然很正常，可是，這些凹凸非常有規律。

凹下去的地方，大小跟人的腳印差不多，略略地把大青石給磨得有點光滑，這說明，這些地方，經常有人用力地踩。而牆壁上的一些木頭，也有一些被磨得光滑的痕跡，木頭上的痕跡正好跟地上的青石痕跡位置一致。

任天行心裡震撼道：難道這裡真的是趕屍之人落腳的地方？

第119章

黑屋的秘密(中)

那個大樑中間，有一具發黑的骸骨，屍臭就是從那裡傳來的。好惡毒的手段！就算是滿清十大酷刑，也自愧不如。死前受盡折磨，死後讓屍體受盡蠶食之苦，還不能讓靈魂靠近，歹毒至極。

湘西民間自古就有趕屍這一行業，趕屍的人一面敲打著手中的小銅鑼，一面領著這群屍體往前走，手中搖著一個攝魂鈴，讓夜行人避開。那些屍體的頭上戴上高筒氈帽，額上壓著幾張畫著符的黃紙，黃紙垂在臉上，他們歇息的地方就是「死屍客棧」，據說「死屍客棧」的兩扇大門板後面是屍體停歇之處。

發現的這些痕跡，就是那些死屍站立在那裡，日久天長磨出來的？任天行心裡非常震撼，也許傳說中的「湘西趕屍」真有其事。

四周的破爛桌椅沾滿了灰塵，一樣東西映入了任天行的眼裡，那是一個灰色的半截小指這麼大的東西。

是雪茄！半截雪茄煙屁股！

反覆地看著這雪茄，看著上面的痕跡，終於讓他看到了幾個字，放在鼻子邊上聞了一下，還能聞到一股煙香，這是上等的雪茄，看著它萎縮的樣子，起碼有十年以上，最讓任天行震撼的是，這上面有幾個日文。

正在凝神中，一個黑影從樓上飛了下來，緊跟著是長風焦急的聲音：「小心，別讓它上你的身！」

只是這速度太快了，任天行剛反應過來，還沒躲開，那黑影就迎面而來。

任天行只感到全身就像被一盆冷水給潑上了一樣，一股陰寒的感覺蔓延到身子的每一個細胞上。

這只是一瞬間的事情，他的全身居然在這一剎那做出了反應，一股更陰寒的感覺從自己的皮膚血管中冒出，把那股襲擊而來的陰寒之氣硬生生地踢了出去。

那黑影尖銳地叫了一聲，被彈了出來之後，沿著地面滾到牆角之下。長風飄然而下，五指對著那黑影一伸，念道：「般若波羅蜜，收！」

手心之處出現了一個「勒」字，由小變大，把那黑影籠罩在裡面，嗖的一下，收入了手心。

「這是什麼？」任天行還沒明白過來，疑惑地看著長風。

長風說道：「怨靈！」

「怨靈？」

「也就是你們常說的冤魂！一不小心，就會被它上身。」

稍微有點常識的人，自然知道鬼上身是怎麼回事，但是，讓任天行心裡震驚的是，「鬼上身」居然不只是電影電視裡面的題材，現實生活中也真的存在！

「但是……它……」任天行想到自己剛剛的那種感覺，嘴都合不上。

長風沉沉道：「是不是覺得奇怪，它居然上不了你的身？」

任天行連連點頭，這冤魂就像針一樣，一下進入自己的身子，又被彈了出去，十分的怪異，讓他百思不得其解。

長風左思右想，半晌不說話，最後慢慢地說道：「同性相斥，異性相吸，本來我還懷疑我的判斷是錯的，現在，我終於肯定了。」

「懷疑什麼？肯定什麼？」任天行聽到關於自己的事情，緊張地問了起來，這是自己這陣子以來一直關心的事情。

長風意味深長地看著他，淡淡道：「靈魂，屬陰！」

任天行明白了過來，愕然道：「同性相斥，你的意思是，我身子也屬陰性，所以這冤魂上不了我的身？」

「你身子裡的陰性，比起靈魂的陰性更厲害！」

「那表示什麼？」

「我不知道！」

「不知道？有你不知道的事情？」任天行提高了聲音，十分不滿長風的答案。

長風一臉迷茫，聲音漸漸拉低，歎了一口氣，說道：「人體有陰陽之氣，男人以陽氣居多，女子以陰氣居多，自古以來，陰陽調和之精髓在於滋陰補陽，才能延年益壽，身體健康，而你現在幾乎沒有陽氣。」

「天行，對不起！」長風一臉歉意，對於任天行這樣的事情，他還是第一次遇到，而且居然無能爲力，心裡不免感歎天地之大無奇不有。

任天行哈哈大笑，說道：「這有什麼?沒有陽氣，我任天行不照樣活著！」

「也許，古晶會有線索！」

「嗯！」任天行點了點頭，也不在意，他把那半截雪茄遞給長風，說道：「我找到了這個！」

「雪茄？」長風皺了眉頭，這裡具有百年以上的歷史了，在這個客棧裡能找到雪茄，這說明抽這個雪茄的人一定不簡單。

像這樣能十年以上都不發黴的雪茄，品種應是上上之選，能抽得起這樣雪茄的人，一定是大有來歷的。

「日本人！」

長風抬頭看著上面，嘴裡迸出三個字，他不是因爲看到了雪茄上的日文而斷定的，而是受到雪茄的啓發，四周再仔細看了一遍，眼睛留在屋頂的最中間地方。

任天行也抬頭看了一眼，不禁吸了一口涼氣，冷冷道：「又是他們！」

屋頂中間放著一面銅鏡，銅鏡呈菊花形狀，一共有九瓣，銅鏡中間有一個八卦圖畫，中間畫了一道符咒。

這九瓣菊花正是九菊派的標誌。

來來回回，F縣發生這麼多事情，都跟他們有關。

長風看著那銅鏡，良久才回過神來，嘴裡喃喃自語說：「原來是這樣！」撿起了地上一塊小石頭，輕輕一彈。

那石頭嗖的一聲，把那銅鏡給打了下來。

「匡噹！」銅鏡掉在地上，任天行撿了起來，背後有一道褪色得非常厲害的布條，上面寫滿了一行一行的咒語。

長風看了一眼，眼裡閃出一股寒光，冷笑道：「好一個血咒，不怕下輩子做牛做馬嗎？」

「血咒？」

「在這裡等我！」長風快步走上二樓，然後在走廊上不停地往下看，手指掐著指關節不停地算。

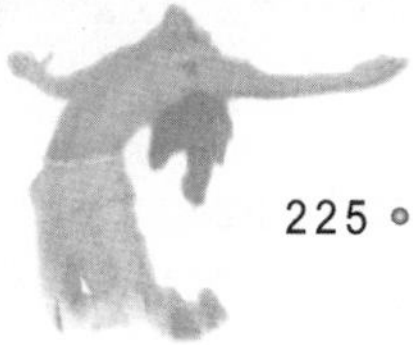

「天行，向左邊走七步！」

任天行不解地看著長風，但是還是照做，七步之後，又後退了三步，然後左轉，走十二步，正好走到一大柱面前。

「停，就這！」

長風大叫了一聲，急忙下了樓，跑到任天行身邊，看那紅漆塗抹的大樑子。

「咚咚」聲響，兩人相視了一眼，這柱子的中間有一段是空的。

兩人圍著紅漆大樑子仔細地搜著，最後任天行把他隨身攜帶的萬能軍刀掏了出來，在那大樑的木頭撬開。

任天行憑藉著自己熟練的手法和經驗，慢慢地撬開了看起來沒有絲毫縫隙的樑子，發現居然有一塊木板是貼上去的。

拆開了之後，一股惡臭從裡面傳來，那種臭味比死老鼠的味道還難聞，讓人作嘔。兩人就算憋著氣，也能感覺到那股味道彷彿從毛細孔進入身體一樣，讓他們臉色瞬間變青。

屍臭！

兩人一溜煙似地逃出客棧，在門口大口大口地喘氣，屍體如果腐爛之後，長期被封閉在密閉的空間裡，一旦被釋放出來，那股味道比甲烷還要毒。

任天行探著頭看了一下裡面，咳嗽了一聲，喘氣道：「屍體！剛剛的那個冤魂……」想到那個冰冷的東西，任天行張開大嘴，看著長風：「這麼巧，這個地方有一個冤魂，一個屍體。」

長風點了點頭，說道：「這個屍體就是那冤魂的！」

過了好一陣，估計那氣味散了不少之後，兩人憋氣進去了。

那個大樑中間，有一具發黑的骸骨，屍臭就是從那裡傳來的，兩人把那屍體拉出來的時候，不禁臉色大變。

這實在是太殘忍了，這是一個女屍，起碼有十年以上了，頭到大腿部分，已經露出了白骨，白骨因爲氧化，變成了褐色，還有一些殘餘腐爛的肉，一塊一塊已經失去了水分。但是，讓他們吃驚的並不是這個，而是這女屍的大腿以下的部分。

兩條腿用麻繩綁著，麻繩上面用蠟密封，一直到大腿。

屍臭主要是從這裡傳來的，大腿以上是乾癟的肌肉和骨架，而這一帶還有屍蟲從裡面不斷地爬出來。

任天行用軍刀把麻繩一割，那麻繩斷開之後，啪的一下裂開，一股銀色的液體從裡面冒了出來，而麻繩就像被分成兩塊東西一樣，裂開一個大口，腥紅的血、腐爛的肉，黏住了麻繩，掉了出來，只剩下還帶一絲血腥的白色腳骨，幾隻屍蟲在那腥紅的血和肉裡不停地爬著。

那銀色的液體，居然是水銀。

他們倆毛骨悚然，雞皮都長了出來。好惡毒的手段！就算是滿清十大酷刑，也自愧不如。

任天行臉色鐵青，冷笑道：「好狠的心！」

「死前受盡折磨，死後讓屍體受盡蠶食之苦，還不能讓靈魂靠近，歹毒至極。」

長風一臉冰霜，用手在那大樑上一抹，「嗞嗞」聲響之後，手過之處，現出了一個暗淡的符咒痕跡。這痕跡正對著房頂中間的那個銅鏡位置。

長風手一抖，那黑影刷的一下出來了，原本想逃走，但是見到那具屍體，不禁愣在那裡，然後蹲在那裡不停地抽泣。

第120章

黑屋的秘密(下)

他們還找來了水銀，灌入殷小菡的嘴裡，然後用麻布把殷小菡的嘴給封了起來，再用蠟把整個臉都封閉了。這兩個人，就像魔鬼一樣，想盡一切辦法折磨她，用錘子敲開她的天靈蓋，把她塞到這大樑裡面，然後在大樑四周寫上了符咒。

那抽泣的聲音，若有若無，尖銳怪異至極，聽了之後讓人心寒膽顫，甚至感覺到一股冰涼的悲傷。

任天行心裡想著，鬼哭神號，這就是鬼哭。

長風盯著那黑影，淡淡道：「這是妳的肉身？」

那黑影抬起頭，看了任天行和長風一眼，然後點了點頭，又繼續埋頭哭泣。任天行沒有見過鬼魂，對這東西非常感興趣，想著是不是跟嘰咕同類，在它抬起頭的時候仔細一看，讓他意外的是，居然只有抬起頭的感覺，而看不到一點臉部。難道，鬼是沒有臉的？

「來世因，今世果，妳死得這麼慘，下輩子一定過得很好。我也不為難妳，妳去吧，塵歸塵，土歸土。」

那黑影似乎很意外，不敢相信地問道：「你會放了我？」

「我送妳一程！」長風一臉淡然，嘴裡喃喃誦經，給這女鬼超度。

這女鬼似乎原本像黑影一樣模糊不清，在長風給她超度之下，居然逐漸變成了一個淡淡的白影，身形婀娜。

「多謝先生！我還有一件事情放不下，希望先生能幫我完成最後一個心願。」

那女子輕聲說。

長風虎目一睜，十分不滿，冷冷道：「妳還想報仇不成？」

任天行聽出了長風的不滿，但是這個女的死得太離奇了，基於職業的敏感，他不禁插了一句：「長風，這女的死得這麼慘，定有內情……」話沒說完，看到長風投來的眼光，硬是將下面的話嚥了下去。

那女的感激地看了任天行一眼，微微點頭致謝，然後長歎了一下，說：「先生不要誤會，我被他們關在這裡，求生不得，求死不能，比入十八層地獄還要痛苦，出又出不去，被他們用法術困住，受盡了折磨。如今，能得兩位先生相救，大恩尚不能報，又怎麼敢想著報仇呢？」

長風欣慰地點了點頭，不由得起了同情心，說道：「妳還有什麼心願？我看能不能幫妳！」

那女鬼見長風答應幫忙，心存感激，一時之間說不出話來，過了半晌，才斷斷續續地哽咽道：「你們幫我轉一句話給我父親，就說：女兒殷小菡，這輩子不能服侍他了，希望他保重身體！」說完，哭泣聲更盛。

「殷小菡！殷小菡！」任天行反覆念了這個名字兩次，瞬間心頭一愣。

他嘴巴都合不攏，結結巴巴地道：「妳……妳，妳是……是殷小菡？」

殷小菡停止了哭聲，聲音一變，凌厲地質問道：「你認識我？你認識我！你跟他們是一起的！」

任天行知道誤會，急忙說道：「不是，別誤會，妳父親是不是殷達明，殷縣長？」拿出了證件，任天行說道：「我是員警，我不知道妳說的他們到底是誰！妳能不能告訴我，妳是怎麼被人殺死的？」

殷小菡十分激動，知道任天行不是那一夥人之後，漸漸地平靜了下來，就連長風也知道事情不簡單，如果是另一個人，長風或許不感覺到奇怪，但是這個屍體居然是殷小菡的。

長風雖然沒有見過殷小菡，但是任天行的經歷引起了他的好奇，兩次遇到殷小菡，上次在另一間屋子遇到，而且還看到了屍體，這次又是……

任天行問：「在另一間屋子的那具屍體，是怎麼回事？」

殷小菡幽幽地說：「她的名字跟我的名字諧音，就因爲這樣，被他們誤以爲是我，白白送了性命！」

「可是，她怎麼會顯靈找到我，而且以妳的身份……」

「那丫頭死之前就非常聰明，她的屍體被困，她自然會想盡一切辦法讓自己超生。」殷小菡沉默了一陣，說：「我不知道他們這幫人要做什麼，但是，十一年前，這夥人來到我們這裡之後，叫我父親給他們找一樣東西！」

「什麼東西？」任天行和長風異口同聲地問。

殷小菡回憶了一下，不敢肯定地說：「似乎是一個叫什麼玲瓏的東西，還有一張地圖！」

任天行和長風身子一怔，難道是「玉玲瓏」？

他們相視了一眼，似乎不敢相信。任天行問道：「後來呢？」

「也不知道他們用什麼方法，我父親居然很爽快就答應了下來，但是，花了很大的工夫，依然沒有這兩樣東西的下落。過了半年，幾乎都搜遍了F縣各處，仍然沒有這兩樣東西的下落，他們急了之後，就偷偷地把我綁架了，以此要脅我父親，限定他在一定時間內找出來。」

任天行脫口而出：「好卑鄙的手段！」

殷小菡唉聲道：「F縣所有地方都找過了，唯獨泗水村沒有找，他們以為我父親藏私，所以把我綁架了，但是他們哪裡知道，泗水村這幾十年來根本沒有人敢接近。最後，我父親看我在他們手上，不得不去泗水村。」

殷小菡一邊說一邊流淚，講述了發生在她身上的事情。

那是十一年前的事情。縣長殷達明得知自己的女兒在他們手上之後，不得不向他們屈服，F縣除了泗水村全部都找過了，那東西很可能就在泗水村。

因此，殷達明帶了那些人，趁著夜色，進入了泗水村。只是這一去之後，八個人只有兩個活著出來。

這兩個人出來之後，身子虛弱，臉色蒼白。回來之後才知道，這是殷達明玉石俱焚的方法，那泗水村像個地獄一樣，要不是他們兩人有點手段，必定有去無回。這兩人氣惱殷達明讓他們中計，差點就丟了性命，惡由心生，居然把那股怒火發洩在殷小菡的身上。

他們把殷小菡用麻繩綁得嚴嚴實實的，然後用蠟燭滴在麻繩和殷小菡的身子上，就像把她給封起來一樣。更慘無人道的是，他們還找來了水銀，灌入殷小菡的嘴裡，整整灌了一大壺，然後用麻布把殷小菡的嘴給封了起來，再用蠟把整個臉都封閉了。

殷小菡就是被這麼折磨而死的，水銀進入腹中之後，因爲膨脹、沉澱，漸漸地侵入她的雙腿中，然後隨著身體血液的流動，水銀又輸到了全身各處。

這兩個人，就像魔鬼一樣，想盡一切辦法折磨她，用錘子敲開她的天靈蓋，把她塞到這大樑裡面，然後在大樑四周寫上了符咒。

殷小菡一邊說，一臉驚恐地看著自己的肉身，似乎還沉在痛苦中，說到悲慘的時候，哽咽得說不出話來。

任天行和長風聽得兩眼寒光直射，這兩個人，居然慘無人道，心比蛇蠍。

「他們是誰？」兩人異口同聲，一股殺氣從他們兩人身上漸漸地透了出來。

殷小菡說：「我不知道他們到底是什麼人，但是，我記得他們那些人裡面有幾個人是講日語。那兩個人，其中一個是講日語，非常高大，但是臉色呈青色，我記得，他的眼睛很小很小。」

任天行追問道：「這些人裡面是不是有個喜歡抽雪茄？」

「對，就是那個青臉的日本人，他一直在抽著雪茄。」

長風眼睛一亮，說道：「這兩個人能從泗水村出來，一定不簡單。」

「另一個人，臉色白嫩，始終帶著一絲笑容，下巴有一顆大痣，很大的一顆痣！又胖又矮！」殷小菡回憶著，突然間她想起了這男人的名字，叫道，「我想起來了，他們都叫他賴八！八爺！」

「賴八？」

「對，沒錯，就是他，他……他會邪術！」

「殷小菡，妳時辰到了，趕緊走吧！」長風捏了一個手印，嘴裡喝了一句，大叫道，「妳託的事情我會幫妳做到。」

「塵歸塵土歸土，有請黑白兩君，開啓地府，急急如律令！」在長風的喝令中，一道白光閃過，開啓了一個黑洞，裡面色彩紛飛，殷小菡見到這道黑洞之後，一抹喜色湧上臉龐，給兩人作揖致謝之後，一溜煙飛進了那黑洞。

等那黑洞關上之後，任天行張開大嘴，不敢相信地指著那黑洞，吞吞吐吐地說：「那是，那是……」

「通往地府的黃泉之路！」長風微微笑道。

「地府？」任天行震驚無比，原本以爲這只是杜撰的東西，只是迷信的產物，但是如今，現在，自己居然在眼前看到了。

他從來就是一個無神論者，從小到大灌輸著現代化的知識，軍人堅韌剛毅的意志和精神，讓他從來不會相信世上會有這樣的東西。

自從他出道之後，連連破了眾多的案件，雖然也遇到過十分怪異的事情，但是，也只是用巧合、離奇來解釋。

跟龍牙那些人接觸之後，他逐漸接受了世間有特異功能的實事。但一直認為，就算有異能，也只是少數，也只能說這部分人有天賦。

國家有一個神秘的組織，專門研究龍牙隊員異能的事情，特別是離子科學院的張院長，把異能解釋為，某些人天生染色體異常，而他們身邊的一些物質，比如離子、分子，會受到那些體內的染色體影響產生力量。諸如此類的科學解釋，似乎也有幾分道理，不然，兩塊同性磁鐵就不會有排斥作用了。

任天行對這些也能接受，但是，遇到長風之後，他親眼經歷了各種怪異的事情，中國古代的陣法、惡靈、槍裡的靈體，到現在遇到的殭屍、鬼魂，甚至是……看到了黃泉路！

古代傳說中的各種神話，怪談裡面能看到的，幾乎一一應驗。難道，這些居然是真的？難道，真的有閻羅王，真的有觀音菩薩？真的有……

長風看著任天行眼珠裡閃出的光，不禁微微一笑，這種很難讓人接受的實事，突然間擺在面前，不管是誰，都需要一個適應過程。

任天行兩眼無神，嘴裡喃喃自語，沉溺在自己的問題裡。

長風沒有打擾他，不過，任天行始終是任天行，也就半晌時間，就回過神來，第一句話就是問長風：「還有什麼我不知道的？」

長風意味深長地說：「世事無奇不有，有些事情，該是你知道的，你就一定逃不過，不該是你知道的，你想知道也沒用！你現在已經不是一般人了，你已經開始踏入了第五種人的世界，慢慢地，你會接觸到更多。」

「第五種人？」

「對，第五種人！」長風沉沉地點了點頭。

第121章

第五種人

龍牙組織的人，只能算是半個「第五種人」，那夠稱得上是「第五種人」的人，豈不是能操控更多的力量？完顏長風，這個稱得上全身詭異的人，具有這種像謎一樣的東西，就是因為他會操控這些異力量嗎？

「什麼是第五種人？你也是第五種人？」

長風點了點頭，說道：「現在，你也是第五種人，雖然我還不知道你為什麼變成第五種人。」

什麼是第五種人？任天行對這種人的世界絲毫不瞭解，或者說，根本沒有這種概念，這種人充滿了神秘，他們的這個世界充滿了離奇。而自己居然走進了這個世界，他不禁又恐懼又興奮。

長風淡淡道：「其實，我們這類人，說神秘也不神秘，就像魔術師，他們有他們的方法！這不是迷信，也不是怪力亂神，這個世界上充滿了各種各樣的神秘力量，西方的巫師、驅魔人，東方的道士、法師，都各自掌握著開啓這種力量的方式。這種力量，不是常人能接受的。這種力量被科學家們稱為『異力量』。能擁有這類力量的人和能支配、控制這種力量的人，被統稱為『第五種人』。」

「力量的操控？龍牙組的人？」任天行聽到這個之後，第一個反應就是想到了龍牙，那個能看透人心思的李寶國，那個能憑著眼睛就能讓一件物品凌空飛起的謝坤，那個身輕如燕的施絲，還有……

長風微微點了點頭，說：「算是！」

什麼叫算是？是就是，不是就不是，難道還有第三種說法？

讓任天行更加震撼的是長風說的一句話：「龍牙那些人，擁有與生俱來的操控能力，所以說是，但這些能力具有單一性，只能操控一樣力量，所以說算是。」

照他這麼說，龍牙組織的人，只能算是半個「第五種人」，那夠稱得上是「第五種人」的人，豈不是能操控更多的力量？

任天行上下看著完顏長風，這個稱得上全身詭異，像謎一樣的人，就是因爲他會操控這些異力量嗎？

還有古晶這個老頭，甚至他的徒弟馬峻峰！

知道得越多，越讓他發現自己的迷茫，乾脆不再去想。

長風打了一道黃符在屍體上面，屍體瞬間焚燒成灰，省了他們兩人埋葬的工夫。長風找了一個瓶子，把骨灰裝在瓶子裡之後，兩人離開了這個死屍客棧。

兩個人不言不語，但心裡都憤怒無比，這種慘無人道、逆天行事的人，一定不能留在世上，兩人漸漸地握緊了拳頭。

這樣一個花樣年華的女孩，居然被慘無人道地殺害，而且殺死了之後，還用蠟封住屍體，讓屍體不能跟空氣接觸，延長了屍體的腐化。

水銀灌入人體，流到全身各處，有著防腐作用，經過十一年，整個屍體也只是被屍蟲吞噬了一大半。

在大樑上面畫了符咒，並在死屍客棧的頂上裝了一個銅鏡，布了一個陣，把離體的靈魂困在客棧裡面。讓靈魂天天面對著自己腐爛的屍體而又不能靠近，求生不能求死不得，這是多麼殘酷啊！

這陣式困住了靈魂，爲了不讓陣法發出的力量而導致靈魂因爲時間關係而衰弱，他們居然還在門口處用石灰粉混著碎玻璃，擺一個九宮陣聚集陰氣，輸送到死屍客棧裡面，讓殷小菡的靈魂得以補充。

可想而知，這兩人對殷達明的恨意已經達到了巔峰，他們把這股恨意完全發洩在了他女兒的身上。

想到這裡，長風不禁想起了泗水村的妖人，他的手段，跟弄死殷小菡的那兩個人幾乎同出一轍。

「這事情自始至終，都跟『玉玲瓏』和『舍利子』有關，我要看看你們手上的這兩樣東西。」長風再三思量之後，決定從這兩樣東西開始找線索。

畢竟，泗水村的慘案跟瞎眼的叫花子有很大的關係，而瞎眼的叫花子身上，有一個至邪之物，就是「噬魂」所在的那顆石頭，還有一個能鎮住這石頭的寶物，就是他手上的「白玉玲瓏」。

玄陽寺跟這石頭分不開，而在玄陽寺裡面，正巧又出土了「舍利子」和黑色的「玉玲瓏」，三十四具殭屍也恰恰是在那裡發現，這是巧合嗎？

不會，天下沒有這麼巧合的事情，長風長歎了一句，把這些事說了出來。

任天行拍手道：「哎呀，我怎麼就沒想到這些呢？真是陰溝裡翻船！這麼點事情，怎麼就看不出來！」

「天行，想想現在該怎麼入手。」長風和任天行站在三岔口上，一條是通往縣委的路，一條是通往軍區的路，還有一條是通往鳳凰山的方向。

兩人面面相覷，現在，該走哪條路？

任天行沉默了一下，決定分開走，他說道：「鳳凰山現在都是記者和軍隊，那裡有黃風和大石頭在，應該可以應付，但是發生的那些事，也許你去比較合適，我先去拜訪一下這個縣長殷達明。」

「這個殷達明不簡單！」長風說道，「他知道泗水村的情況，但是居然夠膽帶著那七個人進入泗水，這個人能當縣長，絕對不是那種逞匹夫之勇的人可比。」

任天行點了點頭，接著長風的話說：「我知道，帶著七個人進入泗水，死了五個，逃出來的一個日本人，還有一個叫賴八的，應該都是術士，而殷達明居然也能逃出來，這就表示著不一般。」

「更奇怪的是，逃出來的這兩個人，應該也知道殷達明沒有死，以他們倆的手段，沒理由會放過殷達明而爲難他女兒！」

「對，這樣的話，唯一的解釋就是，他們倆聯手，也對付不了殷達明！」長風眼睛一亮，淡淡說道：「這個殷達明，如果不是有高人相助，就是他本身就是一個高人！」

任天行笑道：「以我的直覺，他應該是後者。你放心吧，連紅毛怪我都不怕，他再厲害，能耐我何？」

長風點了點頭，這任天行發怒的時候，把那紅毛殭屍打得滿地找牙，還有什麼東西能讓他害怕？以他現在的能力，自己都比不了。

「等等，我教你一個手印，你跟我學！」長風慢慢地捏了一個手印。

「外獅子印！」長風兩手一合，無名指、中指、拇指直立，食指、小指微曲合，兩眼怒看前方，在短短的時間內，整個身子充滿了一股殺氣，那是一種無窮的能量，就算是任天行也感受到了那股力量產生的壓迫力。

「記住這個手印的捏法！」長風做了兩次之後，任天行已經能記住了。

長風在任天行耳邊嘀咕了兩句，把金剛薩埵法身咒最精要的兩句印訣告訴他，這是任天行第二次接觸到開啓這種力量的方法。

第一次是在夢境中的時候，長風用千里一線牽讓任天行體會到了「風雷地動令」的精髓，而這次，這個手印居然是密宗九字真言中開啓「鬥」字訣的密法。

任天行本以爲長風教他這個是爲了讓自己防身，以他的天資，不用幾分鐘就學會了。但是，讓他意想不到的是，這個手印居然跟他本身有關。

任天行照著印訣，用自己的意念去激發金剛薩埵法身咒，當手印捏成了之後，只感到全身一振，整個身子都充滿了無窮的力量，這是一種強烈的爆發力，讓他在不知不覺中仰天狂吼，兩眼發赤，兩顆金牙發出燦爛的金光。

這也是他第一次在自己有意識、有思考的情況下發現了自己的與眾不同。

長風聽到他的這一吼，心裡居然產生了一種前所未有的寒意，不自覺地後退了兩步。任天行臉上一臉冷漠，看不出是喜是憂，對於自己的變化，不知道到底該高興還是害怕。他摸了摸自己的牙齒，苦笑道：「我是殭屍嗎？」

他問完之後，不禁慚愧地笑了一下，要是長風能回答，早就告訴自己了。任天行對長風點了點頭，邁開大步，向縣府方向走去。

天下，也就只有長風想出這樣的法子，讓任天行在有理智、有意識的情況下激發他身上潛在的能力。

任天行自己並不知道他是什麼時候擁有這種能力的，不過，這種能力任天行並不能控制自如，只能是在他憤怒的時候，才能激發出來。

這個「外獅子印」，正好是激發任天行無窮鬥志的印訣，長風教他的時候，還不能確定是否管用，只是想驗證一下。

「鬥」字訣，真的可以啓動任天行體內的那股能力，更讓他欣慰的是，這個字訣，除了啓動那股能力之外，還不讓那股能力影響到一個人的思維，這是意外之喜。

任天行走後，長風沒有往鳳凰山去，而是去了軍區。

第122章

千年槐木盒子

盒子用槐木雕刻，根據探測得出的資料，這個盒子的木質，至少有六千年。這是一個奇怪的盒子，而這個盒子，居然是一個千年文物，千年之前，又怎麼會有這麼高科技的東西呢？

這是一個四四方方、古紋斑斑的盒子，光滑的外殼，散發出一股清香。能用光滑來形容一個有斑紋的盒子，手工藝術已經到了巔峰的境界。

那一股清香漸漸地向四周擴散。

這是一種木質的香味，香而不膩，淡而有實。

眾人的眼睛一眨不眨，都盯在這個盒子上，這可是千年寶物，單是這個盒子就價值連城。

長風回到軍區之後，曾敏儀就被周芷慧從鳳凰山上緊急調了回來，悅月、郭心妍和Tom就坐在她旁邊，四個人，四台專用的筆記型電腦，更誇張的是，這盒子被四個超高倍顯微鏡和兩個專用透射儀器圍著。

曾敏儀的纖纖玉手在筆記型電腦鍵盤上面飛快地轉動，一行行的資料不斷地輸出，從她的眼裡，眾人看出了她的驚異、震撼。

突然，她停下了，額頭冒出了一層汗，而悅月他們三人也抬起了頭，四個人相視，一個看著一個。

周芷慧皺眉道：「敏儀，有什麼問題？」

「我這裡計算出來的資料，完美！」曾敏儀簡單的一句話讓眾人不知所云。就連很少說話的謝坤也露出了一臉怪色。

沒有等眾人追問，悅月環視了眾人，吐出了一句：「**Perfect！**」

「**Perfect！**」

「**Perfect！**」

郭心妍和**Tom**也緊跟著報告了他們的結果。

利用四個超高倍顯微鏡觀察，兩台透射儀探測，得到的結果居然是「完美」。長風和一臉蒼白的古晶、何博士坐在一邊，幾個人面面相覷，不明白這幾個資料是怎麼一回事。

這寶物是跟「舍利子」一起出土的，老劉在看著這兩樣東西的時候，眼睛發光，緊張地問了一句眾人心裡都想知道的話：「千年寶物，自然不同凡響，只是這資料，如何完美法？」

王婷婷緊挨著長風，她對這些東西根本不感興趣，幾乎是用纏的方式，把長風的手臂抱得緊緊的，生怕長風會從她身邊飛走一般，一點也不在乎眾人的眼光。

此時，她抬起了頭，不慍不火地說了一句：「這個完美，表示著什麼？」

曾敏儀盯著螢幕說道：「盒子用槐木雕刻，根據探測得出的資料，這個盒子的木質，至少有六千年。」

「六千年？」眾人心裡一顫，就連何博士也大跌眼鏡，他失聲叫道：「槐樹怎麼可能有六千年的壽命呢？」

就算是壽命最長的榕樹，史書上記載的至多也不過一千二百多年。

老劉淡淡地說道：「出土的時候，我們分析了盒子上黏著的土，這個盒子最少被埋在地下超過兩千年！」

按照保守的演算法，這個盒子在兩千年前就已經製作成了。

曾敏儀在眾人喘息的時候，又拋出了一句讓人更震撼的話：「它表面上的斑紋更奇怪！斑紋是對稱性質的，對稱的距離和形狀，在顯微鏡下測出的，誤差的單位，可以計算到十萬分之一。而且，單位是毫米。」

十萬分之一，這是個什麼概念？就算用現在的科技，也不能保證誤差精確到千分之一，更何況是十萬分之一，現在的計算方式，達到百分之一毫米的誤差都可以省略掉，難怪曾敏儀說資料完美！

但是，兩千年前，正是漢朝時代，那個時候又怎麼會有比現在更先進的科技呢？長風轉頭看了一眼悅月，問道：「你們怎麼說？」

悅月是SUPER組織的負責人之一，西方的科技比東方要先進很多，但是，她卻無奈地說道：「如果沒有看到這個資料，任何人都不會相信，就算是美國太空總署的那些人，也不會相信有這麼完美的誤差。」

王婷婷驚訝了半晌，回過神來，瞪著大眼睛，見到眾人這麼緊張，淡然道：「也就是意味著，美國現在的科技，都比不了中國兩千年前的文明！」

悅月看了她一眼，沒有理會，繼續說：「還有更完美的，就是它的形狀！」

這是一個方方正正的盒子，肉眼看不出這形狀有什麼奇怪的，但是悅月卻說，這個形狀是完美的。

「這個形狀，比黃金分割點更加完美，它們的資料比例，用我們現在的誤差標準來算，它的比例是一個整數『一』！」

這些都是專業術語，眾人都有點聽不懂，但是悅月用最簡單的幾個字，讓眾人吸了一口冷氣。

「絕對的直角！絕對的水平！」悅月望著眾人，苦笑道，「就算用我們製造的尺，或者柱形鐳射作爲衡量標準，兩條平行線水平，精確到一定程度的時候，就會有誤差。我們理論上說的是平行，實際操作的卻是相對平行。但是，它的精確度，已經把理念和實際結合起來了！」

Tom是研究光學的博士，雖然年輕氣盛，傲氣凌人，但是確實有過人之處，如果不是有曾敏儀和悅月在前面帶頭說，他一定以為是自己中了屍毒之後的後遺症。

他經過了反覆地核實，確認自己的操作方式沒有錯，才說道：「這個盒子表面有一層物質，能夠把光線完全吸收。」

他聲音突然間提高了起來，激動道：「這就意味著，這個盒子不管在哪裡，不管多少年，都不會受到光線的影響而變化。這就表示，這盒子不會被氧化，不會被腐蝕，不會生蟲，不會……」

「這就意味著，這個東西比在真空狀態下，還要耐用百倍！」何博士插上了一句，不管是什麼物質，在真空狀態下，沒有其他因素影響，就能延長它們的壽命。這層物質，比在真空狀態更加富有特性。

王婷婷在長風的耳邊低聲說了一句，但是這句話，卻點出了關鍵所在，她說：「任何東西放久了，都避免不了被氧化，但是鑽石卻不同凡響！」

她這一句話讓Tom沉默了起來，這層東西的特性確實跟鑽石很相像。

「這層物質，還會對槐樹裡面的一些物質進行完全分解，注意，是完全分解！

我們聞到的香味，就是它分解出來的！」

郭心妍向眾人點點頭，做了一個比喻，「玫瑰花香，是因爲玫瑰本身的新陳代謝，把自己的一些物質進行分解，而影響了感官。但是，我們研究發現，玫瑰對這些物質進行分解的能力，達不到千分之一。」

周芷慧張大了嘴巴，這絕對是一個驚人的發現，她暗自壓下了自己心裡的那股震撼，說道：「玫瑰花花開的時候，已經非常芬芳，如果分解達到一〇〇％，會是什麼情況？香味會比現在的味道濃上千倍？」

鹽過多會鹹苦，香味過多會怎樣？

郭心妍搖了搖頭，說：「分解能力跟香味的濃淡沒有直接關係，而是跟香味遺留時間有關係，這也就是說，如果一朵玫瑰散發的香味可以維持三天，那麼，完全分解之後的香味，能維持至少三千天以上。這個盒子至今還能發出香味，就因爲是那層物質的作用。」

何博士問了一句：「有沒有辦法分析那層物質是什麼？如果能分析出來，這將會改變我們的世界。」

試想，現在的污染非常嚴重，而資源又非常緊張，這種東西一旦能讓人所用，資源就不會有浪費的現象，污染就會減少，甚至……更多更多的用處！

四個人相視了一眼，不約而同地搖了搖頭，說道：「暫時沒有辦法分析，也許，我們應該請更專業的人士去研究！」

Tom和郭心妍終於知道了，爲什麼大家都說中國是個文明的古國，這樣的東西，也就只有在東方才能看到。

這是一個奇怪的盒子，而這個盒子，居然是一個千年文物，千年之前又怎麼會有這麼高科技的東西呢？

眾人的眼光，不禁放在長風和古晶他們幾個人的身上。

如果不能用現代科學來解釋，那麼，只能從玄學上尋找答案。

悅月的眼光最先落在長風和古晶身上的，這兩個人在她眼裡，可以說是中國玄學的代表，如果能從他們身上挖掘出佛道兩家那種神秘的力量來源，對人類來說將是一種質的飛躍。

她在中國這麼長的時間，就是爲了研究這方面的知識。

長風和古晶相視了一眼，再看了一下何博士，三個人無奈地搖了搖頭。

「舍利子」好解釋，但是這個「玉玲瓏」卻沒有任何資料，就算有也有可能流失到了外國。

中國國難一百多年，多少寶貴的東西成千上萬地往外流，從黃金銀元、珠寶這些東西到古董、珍玩，以及最寶貴的一些經書典藏和文史巨作等精神文化方面的寶貝，也被掏之一空。

剩下來的東西少得可憐，關於玉玲瓏的記載就算有，也可能在某本史冊或者古書裡面，但這史冊或者古書，卻可能在某個外國大亨的書房裡擺設著。

王丫頭撇嘴道：「這盒子都這麼寶貴，裡面的東西，一定更有價值！」

「沒錯，說不定裡面會給我們答案！」這王婷婷一語驚醒夢中人，長風對她點了點頭，說道，「看看這玉玲瓏，能不能給我們答案！」

第123章

黑白雙珠

一黑一白的珠子，浮在空中不停地旋轉，相互追逐，盒子裡的那個羊皮紙，漸漸地打開，慢慢地浮在空中，上面怪異的文字，居然發著紅光。地圖！這羊皮紙居然是一張地圖。

專用透射儀和超高倍的顯微鏡再次調試完之後，眾人眼光都盯著那個盒子，打開盒子之前，大家的心都提到嗓子眼上，屏住呼吸，一眼不眨。

「開始！」曾敏儀輕輕地吐出了一句話，周芷慧向謝坤點頭，示意他開始。

謝坤是龍牙組織裡最年輕的一個，也是話最少的一個，這個人其貌不揚，幾乎可以讓人忽略了他，既不喜歡說話，又不愛搭理人，就像一個影子一樣，在別人的後面一聲不吭。

但是，卻不能忽視了他的能力，沒有兩把刷子，又怎麼能進龍牙呢？他眼睛微微睜開，兩眼一皺，呈三角形，黑色深邃的瞳孔發出一股奇異幽冷的光，那盒子居然在這樣的眼光下，自動地微微開啓。

悅月他們三個人十分震撼，張口愕然了一陣，沒想到這個其貌不揚的年輕人居然有這樣的特異功能。

Tom喉嚨裡咕嚕響了一下，心裡大呼道：「老天，又看到一個能用念力來操控物質的人！」眼光環視著眾人，他在周芷慧、何博士、曾敏儀等人的身上暗自打量了一番：「這中國人，怎麼感覺個個都這麼神秘！」

盒子徐徐地打開，一股幽幽的光芒從盒子縫隙中漸漸透了出來。就連挨在長風身邊的王婷婷，也都好奇地看著這個神秘的寶物。

這就是「黑玉玲瓏」，一個圓潤黝黑的珠子，散發出一股股幽幽的光。

就在眾人屏息盯著它的時候，它身上那股幽幽的光，漸漸變得亮了起來，亮得十分怪異。怪異到那個光線就像是一團霧氣一樣，圍繞在黑色珠子周圍不停地旋轉，而且速度越來越快。

「啊！」驚訝的一聲叫聲從周芷慧喉嚨裡迸發出來，這是她第二次見到這個珠子，但是，任誰都看得出來這珠子的特殊性。

眾人張開大口，凝視著這個珠子的時候，周芷慧對曾敏儀喊了一聲：「它有反應，快看看是什麼問題！」

這一喊之後，電腦前的四個人才回過神來，對著電腦狂打，手指如飛，在鍵盤上不停地轉著，一行行的資料從裡面輸了出來，連著電腦的透視儀不斷地發出紅色、藍色等射線。

珠子的光幾乎變成了霧氣，甚至是雲層一樣，凝結在珠子周圍飛快地運轉，帶動了空氣的流動，呼呼的聲音漸漸變大。

曾敏儀一臉的不可思議，大喊了一聲：「轉動速度超過兩萬每秒，不，兩萬五，三萬，天，它在呈幾何型增長。」

旋轉的速度，帶起了一股氣流漩渦，從珠子的中心擴散開，由於空氣的流動，形成了風，而且是強烈的風，越來越大，桌子上的礦泉水瓶被這股風帶起，飛到一邊，眾人用手擋著眼睛，漸漸地離開了座位。

呼呼的風聲中，一陣龍吟般的聲音從氣流漩渦中響起，珠子漸漸地凌空升起，浮在空中，之後，風聲漸漸小了，但珠子卻不斷地發出龍吟般的聲音。

神奇，真的神奇！這珠子居然能浮在空中，在眾人驚駭的眼睛中，它漸漸地移動了，雖然緩慢，但是它移動的方向，居然對著完顏長風。

王婷婷兩隻大眼睛盯著這玉玲瓏，在它向他們移來的時候，這丫頭眼裡閃過有一種懼意，不自覺地躲到長風的背後，小嘴輕輕呼道：「長風，它……」

就連長風也不知所措，不禁後退了三步，眼睛盯著這珠子，手臂護著王婷婷。就在他沉沉地呼吸之時，他胸口突然間一動，一股暖流頓時傳透了他全身，一股白色晶瑩的光從他胸口處漸漸射了出來。

「嗞」的一聲，一個乳白色的圓珠從他身上射出，白色的珠子周圍居然也有一層跟黑珠一樣的霧氣，不停地旋轉，懸浮在空中。

這居然是「白玉玲瓏」，是長風從泗水村那乞丐身上找到的「白玉玲瓏」。

黑白兩珠相互旋轉著，就像老朋友一樣在交流，在談話，它們上下翻滾，左右旋轉，相互感應著，像在追逐，在嬉戲。

周芷慧臉色大變，失聲說道：「你也有一個？」

不只是她不相信，在座的任何人都很難相信，長風身上居然也有一個「玉玲瓏」！

老劉兩眼睜得幾乎凸了出來，看著那兩顆玉玲瓏，又看著長風，嘴裡不停地自言自語：「我就知道這小子怪異至極，我就知道這小子怪異至極！」

何博士驚訝地轉頭，看了古晶一眼，古晶沉沉道：「看到了吧，他身上有數不清的秘密！」

何博士點了點頭，深深地吸了一口氣，古晶早就跟自己說過他遇到了一個複姓完顏的年輕人，用九命算天書居然算不出這個人的命，也看不出這個人的相，只能用一個字來形容，那就是「空」。

古晶第二次見到長風，是南方黑道霸主區偉業的老家發生了一件怪異的事情之後，兩人相遇而認識的。

那一次，他們結成了朋友，以茅山派正統後裔自居的古晶，是現今唯一一個掌握茅山玄宗道術的人，但是，他在長風面前卻笑不起來。

因爲長風的道術，雖然沒有他那麼知識淵博，也沒有他這麼正宗，但是，他的道術修爲卻比自己這個苦練一輩子的人要深，要純。

古晶對何博士說起長風時候，除了用「神秘」兩字來形容之外，找不到其他字眼，何博士起初不是很相信，如今親眼見到，不得不信。

就連剛剛出土的「玉玲瓏」都跟他有關。

周芷慧、悅月、郭心妍……終於明白，爲何任天行這麼相信他，爲何悅月要從他身上下手，研究佛道兩家的神秘力量。

在場眾人，也就只有王婷婷這丫頭沒有表現出驚訝的神色，取而代之的，反而是那種理所當然的表情。她的眼神直接說明了「如果跟長風沒有關係，那才是最奇怪的事情」。

也就只有她的眼神和感覺，讓長風感受到熟悉和溫馨。從小到大，他已經習慣了周圍的人那種驚訝好奇的眼光，儘管他極力地掩飾自己的能力，儘管他極力僞裝自己不在乎這種眼光，但是，他畢竟是人，心裡那種過平常人生活的渴望越來越強，他需要同情，他需要理解。

長風轉頭望著嘟嘴的王丫頭，臉上漸漸露出一種喜悅和溫馨。

他沒有說明這珠子的來歷，也沒有必要說明，因爲，原本不相關的事情，在忽然的一剎那，已經把他給扯了進去。

一黑一白的珠子，浮在空中不停地旋轉，相互追逐。

這種追逐是有規律的，盒子裡的那個羊皮紙，漸漸地打開，慢慢地浮在空中，上面怪異的文字，居然發著紅光。而長風身上從小攜帶的木牌，還有從任天行手上得到的木牌，兩塊木牌居然破裂開，木牌裡面藏著一片透明的，像薄膜一樣的圓形東西，兩個圓形的東西合在一起，飄浮到玉玲瓏之中，一股神秘的光線從那圓形的東西中射了出來，照在那羊皮紙上。

整個房間，除了呼吸聲和如龍吟一般的響聲之外，沒有一點雜音，眾人一動不動，就連眼睛也不願意眨，真怕一眨眼，就會錯過這樣神奇的鏡頭。

那羊皮紙上的文字漸漸連在一起，羊皮紙空白之處，居然顯露出了很多豐富多彩的線條，逐漸逐漸地，越來越清晰。

「地圖！」眾人心裡狂呼了一下，任何人看到這個圖，都知道是一張地圖，這羊皮紙居然是一張地圖。

地圖清晰地顯示出某個地方的大致風貌，那是一片盆地，中間是大片的沙漠、戈壁，上面標了一個圓形的符號，目標就在那裡。

長風漸漸地走近之後，居然伸出了自己的手，把這羊皮卷拿在手上。

羊皮卷在和手接觸的一瞬間，一個閃耀，居然變回了原來的狀態，而兩顆玉玲瓏，出人意料地，漸漸飄浮到長風的手邊。

悅月一臉驚奇，失聲道：「看，這玉玲瓏是要落在長風的手上。」

在眾人的呼聲中，長風不知不覺地伸開了自己的雙手，掌心向上，把那羊皮卷捧在手上，而兩顆玉玲瓏，左黑右白落在了他的掌心上。

長風只覺得自己身子一振之後，那兩顆玉玲瓏沒入他掌心，消失得無影無蹤，而那個圓形的東西，則融入了羊皮紙中。

在眾人的愕然中，外面亂成了一團，嘈雜的聲音不絕於耳，長風、古晶和何博士臉色一變，感覺到周圍有一種很強的氣息，這種氣息讓他們感到壓抑和震撼。

第124章

雙雪奪寶

楊落雪仰天大笑，兩眼射出一股光，盯在那寶盒上，雪兒也不甘示弱，冷哼了一下，美眉一皺，渾身散發出強大的勁力。兩個人你來我往，那盒子在兩人的拉力下，懸浮在空中……

周芷慧也隱隱感覺到不對勁，示意長風先拿著這羊皮紙，然後叫上謝坤，一起出去。長風把羊皮卷收在身上，向眾人點頭，就跟著出去了。

一個白色衣服的古典美女，一頭飄然的長髮，媚笑著看向圍著她的那群士兵，絲毫沒有懼色，而試圖攔住她的那些士兵，則一臉迷茫和癡呆，眼睛盯在她的臉上。她臉上展現的笑容，甚至眼皮的眨動，都讓那些士兵怦怦然，兩頰泛紅。

這麼一個絕色美女，用神仙下凡來形容，毫不誇張，她不費一絲一毫的工夫，就進入了軍區。

周芷慧和謝坤見到這個女人之後，愣在那裡，不敢相信，天下居然有這樣絕色的美女。隨之而來的長風、悅月等人，也都愣了一下，在場的男人的表情跟那些士兵一樣。特別是Tom和謝坤兩人，完全露出了一級豬哥的表情。

而在場的女人，除了驚歎、羨慕，居然也有點癡迷。

王婷婷秀目在不停地掃射著這個女人，輕聲讚了一句：「好漂亮的姐姐！」這句話，讓這女人臉色驚異了一下，心裡震撼道：這人好深的定力。

長風深深地吸了一口氣，暗自捏了一個印訣，說道：「好厲害的媚功，雪兒小姐，咱們又見面了。」

這個女人，居然是雪兒，追蹤那些殭屍的時候，他已經領教過媚功的厲害，而且還知道，那些殭屍聽命於這個女人。

雪兒沒想到，在這裡又碰到了這個年輕人，意外地說道：「你也在這裡！」說話間，她微微一笑，發自她身上的那種無形的媚功，突然間消失了，眾人回過神來的時候，喧嘩了一陣，被周芷慧喝住，眾士兵都散了。

古晶等人見到長風居然跟她認識，心裡一塊大石頭落地了，但是內心卻非常震驚，這個女人身上透出的氣勢，讓他們感覺到自己在她面前是那麼的渺小。

她眼睛掠過眾人的臉，當她的眼光與謝坤相遇的時候，謝坤居然情不自禁地兩腿發軟，周芷慧和曾敏儀兩人的心怦怦地跳個不停，就連古晶和何博士，左手也不禁抖動。

眾人中，只有王婷婷和長風安然無恙。王婷婷爲人簡單，沒有城府，愛做就做，雖然任性，脾氣有點怪，但是卻天真無邪，絲毫不受影響。長風因爲有之前的經驗，心裡早就做好了準備。

雪兒臉上掛著嫵媚的笑，一股無限溫柔的眼光，落在眾人的身上，最後，對長風輕輕地說道：「想不到上古寶物玉玲瓏居然還在人間出現！」

「妳知道玉玲瓏？」

雪兒輕輕哼了一下，玉手一伸，刺溜一聲，那裝著玉玲瓏的千年槐木的盒子從裡面飛了出來，落在了她手上。

「啊！」謝坤簡直不敢相信，這女的離這麼遠，還能凌空取物，忽然間覺得自己頭皮發麻，滿身雞皮疙瘩。就算自己集中所有的精力，也達不到她的一半，她居然這麼輕鬆，若無其事地把這盒子凌空給取過來了。

雪兒輕輕地摸著那盒子，似乎不理會眾人的反應，就在她打開盒子的時候，一股殺人的氣息凌空而降，一叫聲喝道：「拿來！」

寶盒在一呼之下，居然脫離雪兒的手，向來人飛疾而去。

「回！」雪兒趕緊大喝了一聲，玉指一伸，一股力量纏住那寶盒。

「魅姬，妳個賤人，居然敢跟我搶東西！」來的那人也是一身的白色衣服，只不過，臉色看起來一臉冰霜。

雪兒臉色一變，多加了幾分力量，對那來人叫道：「楊落雪，別以爲我怕妳，我什麼都可以讓給妳，但是，這玉玲瓏，讓妳不得！」

「好，看看妳這畜生有多少道行！哈哈哈！」楊落雪仰天大笑，兩眼射出一股光，盯在那寶盒上，雪兒也不甘示弱，冷哼了一下，美眉一皺，渾身散發出一種強大的勁力。

兩個人你來我往，那盒子在兩人的拉力下，懸浮在空中，一會往前，一會往後。

古晶大驚失色，嘴裡喃喃道：「她們……她們……」

周芷慧轉頭看著喃喃自語的古晶，又見合不上嘴的何博士，知道來的這兩人非同一般，謹慎地問道：「長風，她們是什麼人？」

「不是人！」喃喃自語的古晶突然間冒出一句，眼睛一亮，反覆說道，「她們不是人！她們身上沒有人氣，也沒有邪氣！」

「那是什麼？」

「老何，你看出什麼沒有？」古晶轉頭望向何博士。

何博士狠狠地點了點頭，不可思議地感歎道：「那個後來的女人，居然是散仙！原來，真的有散仙！」

古晶低聲說道：「另一個，身上自然地發出一種媚氣，妖豔無比，這是狐仙才有的。」

「散仙？狐仙？」郭心妍心裡反覆地念著這兩個詞，眼睛一亮，臉上露出前所未有的驚訝，原先的那種才女氣質消失得無影無蹤。

王婷婷靠在長風的旁邊，輕輕歎道：「你覺不覺得她們兩人好美！」

魅姬和楊落雪兩人控制的力道越來越大，那盒子飄浮不定，一搖一擺。

旁邊不知情的兩個士兵路過，見到這兩個奇怪的女人，不禁上前一步，叱喝道：「什麼人！」

長風臉色一變，正要喝住他們，周芷慧比他還快，嬌聲喝令道：「後退，別靠近她們！」只是喝聲晚了一步，那兩個士兵被一股莫名的勁風甩開，拋得遠遠的，砰的一聲，慘叫聲起，隨後跌跌撞撞地爬了起來，一臉驚慌。

「小妍，妳要幹什麼？」悅月心裡一緊，郭心妍居然悄悄地走了出去，一步一步地靠近那兩人。

長風嘴裡喊道：「回來！」不容分說，一個縱身，往郭心妍那裡躥去，兩個起落之後，就到了她身邊，把她一撈，推了回去。說時遲那時快，剛把郭心妍推開，兩股強勁的力道就迎面而來。

長風不用看都知道，自己正處於這兩股力道的邊緣，心一定，勁力往自己腳下一壓，想把自己的身子先穩住。

只是沒想到，這兩股力道實在太大了，就算是在邊緣，也覺得自己被這兩股力道纏住，就像處於龍捲風的漩渦中，漸漸地被捲了進去。

王婷婷見到長風神色不對，不禁臉色大變，她雖然衝動，但還沒有笨到智商爲零的地步，沒衝去救人，反而冷靜道：「長風被困住了，要想辦法幫他出來。」

周圍沒有勁氣發出的風聲，但是，長風的每一寸皮膚、每一個細胞都感覺到窒息的味道。心臟就像是被一隻無形的手給緊緊地抓住不放，而且越來越難受，他上下兩排緊緊扣住的牙齒，情不自禁地咯咯地打顫著。

「風……雨……雨雷電……兵！替……我定！」長風好不容易聚集了自己的念力，吐出了一句咒語，右手中指和拇指一彎，捏了一個蓮花手，念力在蓮花手中不停地來回旋轉。

這個「定」字咒一使出來，他頓時感覺到輕鬆了不少，但並沒有脫離出這兩股力量。古晶和何博士兩人相視一眼之後，微微點頭，兩人縱身一躍，同時打出了兩道黃色的符咒，對著長風喝道：「長風，朝我們這裡來。」

兩道符咒飛疾而去，打向那個寶盒中間，但是符咒遙遙飛去臨近寶盒幾十米遠，居然自焚而落。

楊落雪和魅姬似乎不理會長風，兩人誰也不服誰，力道一分一分地加，慢慢地兩人都閉上眼睛，漸漸較上了真勁。

「嗞嗞！」長風身上的衣服發出爆裂的聲音，褲子下面也慢慢地有響聲了，他不禁一急，手印一換，大喝道：「般若波羅蜜！勒！」

他整個身子就像螺旋一樣，不停地旋轉，向外衝出去，旋轉的身子帶起一股風聲，像刀的利刃一樣，想從裡面衝出來。

這一下，居然沒有成功，旋轉的身子就像是被困在蜘蛛網裡面的蒼蠅一樣，不管如何掙扎，都掙不脫身上的蛛絲。

「再來！」古晶大喝了一聲，迅速地掏出了一張黃色的符紙，咬破食指，在上面畫了一道符咒，喝道，「天地無極，乾坤借法！扭轉乾坤！」

何博士也不甘示弱，狠狠一咬牙，似乎要拼出去一樣，只見他兩手一合，閉著眼睛，嘴裡念念有詞，然後有規律地用自己的腳跟跺在地上。三下砰砰聲響之後，他眼睛一睜，大喊道：「太上老君，急急如律令！」

古晶和何博士兩人拼盡自己最大的力量，竟然沒動搖魅姬和楊落雪一絲一毫。王婷婷見長風臉上的肌肉不停地抽搐，腦子轟的一下沒了主意，最後咬牙也衝了上去，絲毫不顧自己背後的舊傷。

「丫頭，別過來，妳幫不上忙！」古晶看她身子一動，就知道她要做什麼。

但是，王婷婷沒有理會，嘴裡還喊道：「古老頭，平時不是見你多能耐嗎？怎麼這個時候變成軟腳蝦了？」

她一個勁地奔向長風，嘴裡喊道：「長風，我來救你！」

周芷慧和謝坤等人面面相覷，最後，周芷慧狠一咬牙道：「上去幫忙！」

曾敏儀冷靜地對眾人說了一句：「想辦法讓那兩個女人分心！」

第125章

朝歌兩嬌

這兩個女人太恐怖了，就連古晶和何博士聯手，都不堪一擊。「朝歌」這兩個字，就是從魅姬嘴裡說出來的。殷商時代！眾人臉色大變，面面相覷，周圍的空氣幾乎降到了零點。

兩個貌美如花的白衣仙子，爲了一個盒子大打出手。

曾敏儀心細如發，一句話點出了關鍵所在，古晶和何博士兩人互相點頭，然後不再浪費氣力去救長風，反而是攻向楊落雪和魅姬。

謝坤和周芷慧不愧爲龍牙出身的高手，從小除了異能之外，也受過嚴格的軍事訓練，反應比普通人快很多，再加上他們都是來自同個地方，配合自然很默契。

曾敏儀話剛剛落，謝坤就用他的異能，遙控起旁邊的一個木樁，砸向楊落雪；周芷慧也沒有閑著，這個不僅僅是有著相天之術才能的女能人，居然還玩起了火，是的，火。

沒有人知道她是怎麼把那火給點燃的，只見她輕輕一揮手，嬌喝一聲，那兩個女人周圍一米範圍內，燃起了一道圓形的火牆。

砸向楊落雪的那個木樁，在一股力量的作用下，改變了方向，落到那兩個女人的中間，正好在那千年盒子的旁邊，只是剛剛接觸兩股神秘力量的交界點的時候，砰的一聲，就像氣球一樣被擠壓變形，然後粉碎落地。

火牆在楊落雪身邊燃起，周芷慧心裡還暗喜，只是一轉眼間，她就愣住了，那道火牆，轉眼之間憑空消失了，空氣中多了一種寒冬才有的那種冰冷。

就在瞬間，周圍就像進入了冰窖裡面一樣，全身的皮膚毛細血管緊縮，瞳孔在緊張的氣氛中放大。

這太不可思議了，在楊落雪附近幾米範圍內的地面，居然結了一層白色的薄冰，薄冰上徐徐地飄著白色的氣體。

魅姬身邊的那火牆，卻是慢慢地沉入地底，彷彿地下有一種吸引力，把上面的火往下面拉，直至熄滅。

木樁在兩個力道中間的時候，堅持不了半秒鐘，甚至十分之一秒都不到，就被兩種力量給扯碎了，而那個木盒，安然無恙。這讓遠在一旁觀看的悅月和Tom大吃一驚。那個千年槐木盒子居然如此堅固，比黃金分割更完美的、絕對直角的構造，居然有這樣的抵抗力。

長風低垂著頭，兩手合在一起，一邊用盡全力抵消身上的壓力，一邊想方設法從裡面掙脫出來。雖然他聽到王婷婷的叫聲，聽到古晶和何博士在攻向楊落雪和魅姬的時候，被反彈回來的力道重重地打在身上，狠狠地哼了一聲，也感覺到謝坤集中最大的力量把那木樁砸向楊落雪和周芷慧急促的鼻息聲，但是他只能保持冷靜。

這種時候，他也只能當做沒有聽到，因爲他不能再分心。

「妖孽！還不死心嗎？」楊落雪冰冷的臉上，居然冒出了一種陰狠毒辣的表情，天使的臉龐，此時看起來，比惡魔還惡魔。

魅姬兩頰微紅，仰頭大笑：「楊姐姐，妳也好不到哪裡去，妳不妨看看妳現在的樣子，哈哈哈，我是妖，但是卻從不作孽，不然也修不了此身！」

「哼！今天就讓妳嘗嘗我的厲害！」楊落雪邪邪地奸笑，額頭的頭髮，不知何時，染上了一層薄薄的白霜。

長風心裡一怔，壞了，這楊落雪看來動了怒氣，要是她們動真格的，一定會殃及池魚，王婷婷和古晶他們……

想都不敢想後果，他找不出解決的辦法，不由得大喊道：「喂，喂！雪兒姑娘，楊姑娘，妳們這麼年輕貌美，應該聽說『不問自取是爲賊』的道理吧！這盒子是我的，起碼要問過我啊！」

他自己都不知道「年輕貌美和不問自取」有什麼關係，反正這個時候，需要的就是一句拍馬屁的話，讓她們先住手再說。

魅姬媚笑了一聲道：「好一個不問自取，我記得很久很久以前的月圓之夜，在朝歌的酒池肉林中，壽哥就是把這東西送給我的！」

「呸！這是我父親不辭勞苦，送給黃將軍的禮物，卻被你們用卑鄙手段搶去！」楊落雪大怒，瞪大眼睛對著魅姬大罵。

長風感到身上的兩個力量漸漸變大，但是，總算把她們兩人的注意力給引開。

正當她們爭得臉紅耳赤的時候，長風眼睛一亮。

他暗暗地吸了一口氣，不再跟這兩股力量抗爭，反而迎著這兩股力量往裡面一衝，看起來中間兇險無比，其實力量和力量正好在此抵消，長風仗著自己的心法，迅速地從中間一閃。

他沒想到居然這麼順利，而在閃過的時候，他伸手一抓那盒子，心裡默默地大吼了一聲：「唵嘛呢叭咪吽！」

手與盒子相碰的時候，盒子上閃出一道道金光，金光呈「卍」字形灑落在周圍，而長風居然脫身而出，使出凌虛步，帶著盒子飛快地溜出了軍區。

等楊落雪和魅姬回過神來的時候，不禁愕然了一下，拋下「可惡」兩個字，兩個人就像飛鳥一樣，瞬間往長風溜走的方向追去。

太戲劇性了，眾人張口結舌。

這兩個女人太恐怖了，就連古晶和何博士聯手，跟她們其中的任何一人比起來，都不堪一擊。悅月在她們走的時候，愣了好久才回過神來，說道：「天！她們到底是什麼人？」

「何老哥，你聽清她們說的話了沒？」古晶盯著何博士，似乎不敢相信地說，「朝歌！」

「朝歌！」何博士吞吞吐吐地說了這兩個字，是的，這兩個字，就是從魅姬嘴裡說出來的，而這個「朝歌」，代表著殷商時代。

殷商時代！

眾人臉色大變，面面相覷，周圍的空氣幾乎降到了零點，此時，只有一個人沒考慮這些，她就是王婷婷。她毫不猶豫地從一個士兵手裡搶了一輛吉普車，加大了油門，朝著長風飛馳而去的方向追去。

眾人都感到震驚，都瞪大眼睛，等待著答案。

任天行跟長風分手之後，怎麼也沒想到軍區會有這麼一場變故。

走在街道上的時候，任天行忽然間感到了孤獨可怕，甚至是恐懼。

從小到大，韋軍長既當嚴父，也做慈母，一手把他給帶大。小的時候同伴們笑他是個無父無母的野孩子，他雖然滿不在乎，但是，心裡彷徨過，迷惑過。但當韋軍長那偉岸的身影出現在他面前的時候，那種失落的心情便一掃而光。

從小就在軍隊裡長大的人，雖然每天都過得艱辛，但卻是極爲充實。

當士兵們扯著嗓子大吼，豪邁的聲音在整個大地中迴盪的時候，任天行感覺到，自己的根是在軍營裡面。軍營，就是他的父母，在這裡他從來沒有過孤獨。

現在，他第一次體會到了孤獨。

那是一種死寂的孤獨氣息，這種氣息，讓他感覺渾身不自在，這種氣息從毛細孔滲透到心裡，酥酥的，麻麻的。

比那種鐵器和鐵器相劃的時候發出的那種尖銳的酥麻還要厲害。

奇怪，這是什麼感覺？

任天行不禁暗自留意了周圍，手心不知不覺中居然冒出了冷汗。

他偷偷地摸了一下腰間的那把槍，讓他失望的是，嘰咕居然沒有反應。

突然間他停住了腳步，轉身便往回走，就連他自己也不知道爲什麼有這個舉動，以往豐富的經驗告訴他，要馬上往回走。

往回走了沒多遠，他又停住了，似乎這裡就是一個分界線。

越過這個分界線往回走的時候，身上的那種死寂的感覺完全沒有了，但踏入這個分界線的時候，又感受到了那種感覺。

只是一個分界線的差別！

在這個分界線內外，任天行感覺到嘰咕醒來了，他的感覺告訴他，那種酥麻的感覺，居然是嘰咕最享受的，因爲他一跨出這個分界線的時候，嘰咕那種責怪的神色和表情就在他腦海裡完全浮現出來。

心念一動，西藏小密宗九字真言的「鬥」字訣密法居然隨著他的所思所想而開啓，他神色凝重而冷漠，全身上下渾發出一種肅殺的氣息，不，這不是殺氣，是一種死氣，那種讓人感覺到死亡之神來臨的氣息。

就連他自己也不知道，自己就算不用捏「外獅子印」，也能把「鬥」字訣運用得這麼自如。

原來是這樣！我明白了！我明白了！哈哈哈！

任天行眼睛裡閃過一絲喜悅之光，心裡放聲大笑。因爲他感受到了他的變化，這是第一次親自感受到自己的與眾不同。

嘴角微微上揚，兩顆金色的長牙呼之欲出，而赤紅色的眼珠發出妖魅的紅光，來自腳下的那種玄之又玄的力量滿了全身，只要他願意，把「鬥」字訣一放鬆，這種變化就會消失。

他緩緩地抬起頭，往向前方的時候，看到了上空有一道黃色的蜘蛛網一般的東西籠罩在這附近，這網狀的中心赫然就是縣政府！

跟長風和古晶接觸了這麼久，他自然也知道，這是結界，別人做的結界。

這個結界，是針對縣政府而布的！

他嘴裡冷冷一哼：是誰這麼大膽，居然公然在此挑釁！他握緊了拳頭，關節的爆裂聲漸漸地響起，因爲他在不遠處看到了一個人影，一個女人的身影。

「是她！」他喉嚨裡緩緩地吐出了兩個字，不容分說便偷偷跟隨了上去。

●更多精采的內容在《活祭之6：宿命與詛咒》，請繼續閱讀

普天出版社圖書目錄

【飛行城堡】

001 盜墓筆記【卷一】	南派三叔著	380 元
002 盜墓筆記【卷二】	南派三叔著	380 元
003 盜墓筆記【卷三】	南派三叔著	380 元

【文學新樂園】

001 盜墓筆記之 1：七星魯王宮	南派三叔著	199 元
002 盜墓筆記之 2：怒海潛沙	南派三叔著	199 元
003 盜墓筆記之 3：秦嶺神樹	南派三叔著	199 元
004 盜墓筆記之 4：雲頂天宮（Ⅰ）	南派三叔著	199 元
005 盜墓筆記之 5：雲頂天宮（Ⅱ）	南派三叔著	199 元
006 盜墓筆記之 6：蛇沼鬼城	南派三叔著	199 元
007 鬼打牆之 1	天下霸唱著	199 元
008 鬼打牆之 2	天下霸唱著	199 元

【王國華書房】

001 先把貓的手套脫掉	王國華　著	180 元
002 你不能不防的好人 2	王國華　著	180 元
003 只要我不爽，什麼都不可以	王國華　著	180 元
004 你是老實還是笨	王國華　著	180 元
005 不要管豬跟你說什麼	王國華　著	180 元
006 總裁學厚黑之做人圓滑，做事狡猾	王國華　著	180 元
007 誰說豬不會爬樹	王國華　著	180 元
008 你不能不防的好事	王國華　著	180 元
009 不要管豬跟你說什麼？	王國華　著	180 元
010 誰搬走老鼠的大米	王國華　著	180 元
011 裁學厚黑之做人圓滑，做事狡猾 2	王國華　著	180 元
012 不要管豬跟你說什麼 (3)	王國華　著	180 元
013 別人失敗，你才會成功	王國華　著	180 元
014 何必管豬嫁給誰	王國華　著	180 元
015 裁學厚黑之有點狡猾不犯法 3	王國華　著	180 元
016 別跟豬開黃笑	王國華　著	180 元
017 先把豬養肥了再殺	王國華　著	180 元
018 達摩豬－大家都很瞎 (全彩)	王國華　著	199 元
019 幸福遠在身邊	王國華　著	199 元
020 對你好的人，不一定是好人	王國華　著	199 元
021 鬼吹牛	王國華　著	199 元

【智慧大師系列】

001	改變生活，才會快活	凌　越　著	180 元
002	別跟驢子打架	王鎮輝　著	180 元
003	別為小事傷腦筋	凌　越　著	180 元
004	別吃啞巴虧	塞德娜　著	180 元
005	別跟驢子過不去	王鎮輝　著	180 元
006	別想太多，先做再說	凌　越　著	180 元
007	用機智代替憤怒	塞德娜　著	180 元
008	用幽默輕鬆溝通	凌　越　著	180 元
009	不要教驢子跳舞	王鎮輝　著	180 元
010	用幽默化解衝突	凌　越　著	180 元
011	用機智代替幼稚	塞德娜　著	180 元
012	騎你的驢子，別讓驢子騎你	王鎮輝　著	180 元
013	用幽默化解冷漠	凌　越　著	180 元
014	圓融處世幽默藝術	塞德娜　著	180 元
015	感謝嘲笑你的人	凌　越　著	180 元
016	聰明簡單，糊塗困難	王鎮輝　著	180 元
017	用冷靜面對困境	塞德娜　著	180 元
018	愛情沒有誰對誰錯	凌　越　著	180 元
019	學會跟驢子相處 2	王鎮輝　著	180 元
020	把幽默用得更靈活	凌　越　著	180 元
021	你相信的，都是錯的	文彥博　著	180 元
022	有想法，也要有做法	塞德娜　著	180 元
023	王建民的智言智語	王國華　著	180 元
024	先防君子，再防小人	王鎮輝　著	180 元
025	忘掉過去，才有未來	凌　越　著	180 元
026	罵人不必用髒話	文彥博　著	180 元
027	越難過，越需要幽默	塞德娜　著	180 元
028	放下昨天，才有今天	凌　越　著	180 元
029	學君子做人，學小人做事	王鎮輝　著	180 元
030	用舌頭代替拳頭	文彥博　著	180 元
031	別幫猴子割雙眼皮	塞德娜　著	180 元
032	急著吃你的棒棒糖	Lene · 琳恩　著	180 元
033	對不起，騙到你	王鎮輝　著	180 元
034	感謝生命中的挫折	凌　越　著	180 元
035	用幽默代替沉默 2	塞德娜　著	180 元
036	你的單純，還是愚蠢？	王鎮輝　著	180 元

普天出版社圖書目錄

037 感謝折磨你的事	凌　越　著	180 元
038 幽默的人比較受歡迎	塞德娜　著	180 元
039 人生兩好三壞	文彥博　著	180 元

【現實大師系列】

001 把人看到骨子裡	王　照　著	180 元
002 英雄本來就很詐	王國華　著	149 元
003 做人純真，做事深沉	王鎮輝　著	180 元
004 你不能不防的好人	王國華　著	180 元
005 厚臉皮，好運氣	王　渡　著	180 元
006 先做小人，再做君子	王鎮輝　著	180 元
007 人性本來就醬子	王國華　著	180 元
008 厚著臉皮，硬著頭皮	王　渡　著	180 元
009 找小人的麻煩	王鎮輝　著	180 元
010 對你老實的人，不一定老實	王國華　著	180 元
011 老實過頭，小心變豬頭	平井澤　著	180 元
012 能力要夠，臉皮要厚	王鎮輝　著	180 元
013 讓小人去傷腦筋	王　渡　著	180 元
014 把壞事變好事	公孫龍策著	180 元
015 做人純真，做事深沉 2	王鎮輝　著	180 元
016 別為小事鬱卒	凌　越　著	180 元
017 把壞人變貴人	公孫龍策著	180 元
018 把心機用在正確的時機	王鎮輝　著	180 元
019 奸詐量販店	公孫龍策著	180 元
020 把人看到骨子裡 2	王　照　著	180 元
021 做人厚道，做事厚黑	王鎮輝　著	180 元
022 有點奸詐不犯法	公孫龍策著	149 元
023 把心機耍得不露痕跡	王鎮輝　著	180 元
024 有點狡猾有點詐	公孫龍策著	180 元
025 自信總比自卑好	陳維都　著	180 元
026 把聰明用得更精明	王鎮輝　著	180 元
027 有點老實有點毒	公孫龍策著	180 元
028 別為小事鬱卒 2	凌　越　著	180 元
029 做人厚道，做事厚黑 2	王鎮輝　著	180 元
030 有點老實有點毒 2	公孫龍策著	180 元
031 改變思路，才有出路	王　渡　著	180 元
032 學會跟驢子相處	王鎮輝　著	180 元
033 別為蠢蛋抓狂	公孫龍策著	180 元

034 用幽默代替沈默	塞德娜　著	180 元
035 別聽狐狸講道理	Chris Kazumoe 著	180 元
036 別幫鱷魚擦眼淚	Chris Kazumoe 著	180 元
037 我知道你正在説謊	公孫龍策著	180 元
038 做人寬容，做事圓融	楚映天　著	180 元
039 要當老虎，別當老鼠	Chris Kazumoe 著	180 元
040 沒知識，也要懂得掩飾	王　渡　著	180 元
041 做人寬容，做事圓融 2	楚映天　著	180 元
042 做人用心，做事用腦筋	公孫龍策著	180 元
043 站著做人，跪著做事	公孫龍策著	180 元
044 罵人不必帶髒字	文彥博　著	180 元
045 懂得看臉色，人生更出色	楚映天　著	180 元
046 沒心機，也要會看時機	楚 映 天　著	180 元
047 抬頭做人，低頭做事	公孫龍策　著	180 元
048 把馬屁拍到心坎裡	文 彥 博　著	180 元
049 動腦做人，動手做事	公孫龍策　著	180 元
050 別把腦袋放在口袋	文彥博　著	180 元
051 我知道你在搞詭	公孫龍策　著	180 元
052 小人就在你身邊	公孫龍策　著	180 元
053 罵人不必帶髒字 2	文彥博　著	180 元
054 不要用問題解決問題	魯道夫　著	180 元
055 做人就怕太認真	魯道夫　著	180 元
056 做人當然要精明	公孫龍策　著	180 元
057 賭氣，不如爭氣	江又帆　著	180 元
058 越失意，就要越努力	楚映天　著	180 元
059 苦惱, 不如動腦	公孫龍策　著	180 元
060 壞的開始, 也是成功的一半	楚映天　著	180 元
061 做人可以心軟, 做事不能手軟	王　渡　著	180 元
062 有點奸詐不犯法 (2)	公孫龍策　著	180 元
063 壞事沒你想的那麼壞	楚映天　著	180 元
064 做人要厚, 做事要黑	王　渡　著	180 元
065 我知道你是什麼貨色	王　照　著	180 元
066 先搞定人，再搞定事情	公孫龍策　著	180 元
067 罵人不必帶髒字 3	文 彥 博　著	180 元
068 要點心機，做事更順利	陳 玉 鳴　著	180 元
069 把人看透透	王　照　著	180 元
070 小人就是你的貴人	公孫龍策　著	180 元
071 得了便宜又賣乖	公孫龍策　著	180 元

活祭之 5：第五種人

作　　者　通吃小墨墨
社　　長　陳維都
企劃總監　王國華
美術總監　黃聖文
文字編輯　陳奕君
出 版 者　普天出版社
台北縣汐止市康寧街 169 巷 21 號 9 樓
TEL / (02) 26921935 (代表號)
FAX / (02) 26959332
E-mail：popular.press@msa.hinet.net
http://www.popu.com.tw/
郵政劃撥 19091443 陳維都帳戶
總 經 銷　旭昇圖書有限公司
台北縣中和市中山路二段 352 號 2 樓
TEL / (02) 22451480 (代表號)
FAX / (02) 22451479
E-mail：s1686688@ms31.hinet.net
法律顧問　黃憲男律師
電腦排版　巨新電腦排版有限公司
印製裝訂　久裕印刷事業有限公司
出 版 日　2008 (民 97) 年 2 月 20 日 第 1 版 1～6 刷
ISBN◉978-986-6857-92-8 條碼 9789866857928
Copyright©2008
Printed in Taiwan, 2008 All Rights Reserved

■敬告：
本書受著作權法保護，任何形式之侵權行為均屬違法，一經查獲絕不寬貸。

國家圖書館出版品預行編目資料

活祭之 5：第五種人／
通吃小墨墨著. 一第 1 版. 一：台北縣, 普天
2008〔民 97〕面；公分. -（文學新樂園；15）
ISBN◉978-986-6857-92-8 (平裝)

文學新樂園
15

普天之下・盡是好書
普天出版家族
Popular Press

SACRAMENTO PUBLIC LIBRARY
828 "I" STREET
SACRAMENTO, CA 95814
03/2013